U0135073

大人也喜歡的繪本

企劃：魏淑貞・賴嘉綾

★☽星月書房

溫柔的太太
的大太 100隻狗

壺中的故事

NEIL GAIMAN
LORENZO MATTOTTI

HANSEL
& GRETEL

Shel Silverstein
THE
MISSING
PIECE
失落的一角

爾溫柔的
The Gentle and Compassionate Light in Gondar

逛了一圈
Round Trip

contents

企畫者序　魏淑貞／玉山社星月書房總編輯

和繪本的美好相遇

那些年，珮芸還在御茶水大學研究所念兒童文學，因為兒童文學作家李潼的介紹，成了我年輕的「小朋友」，也是我到日本東京旅行時的最佳嚮導。去的地方幾乎都是書店，尤其是童書店、兒童劇場、兒童圖書館。我都以朝聖的心情去開眼界。

那一次她帶著我在表參道、青山一帶的巷弄裡彎來轉去。看到的房子與庭院都非常雅緻好看，走了一二十分鐘，一棟三四層樓高的小巧書店出現在眼前。一樓的平台及書架擺滿了當時台灣還並不多見的圖畫書，珮芸建議，以後也在台灣出版這些書吧！

我一向是閱讀雜食者，雖然母親是位老師，從小每個星期都會帶著我們姊弟到書店，讓我們自己選一本書，買回去讀。除了羅曼史小說及漫畫書不被允准外，其他類別的書都是讓我們隨意買，當然就是囫圇吞，沒個系統。

去過「蠟筆屋」後，這個繪本書店成了日後我每一次去東京必定重訪的地方。還在報社時代就將《失落的一角》作者謝爾一系列的作品，正式取得授權引進台灣。1995年玉山社成立，下半年推出星月書房書系，謝爾一系列的書重取授權，更是創業的重點書。

這二十年來星月書房陸陸續續出版了一百多本繪本，以歐陸德文書最多，也有來自英文、日文及法文的繪本。最近十年台灣的繪本出版更是百花齊放般的，有了各種主題、各種畫風、甚至上百種形貌的出版品出現，讓人驚嘆不已，偶爾也感覺眼花撩亂。

因為出版工作的關係，身邊不少深度嗜讀者，喜歡繪本的朋友更是一個個的出現。讓人意外的發現是，喜愛繪本的，其實更多的是大人。也許

是在人生的各種悲歡深滲內心之後，對簡單但雋永的繪本形式，反而更有共鳴。

繪本看似簡單，但作為繪本的創作者與編輯者都知道，一本三、四十頁的繪本，文字及繪圖要夠好到可以出版，常常是要磨上幾個月或幾年。所以好的繪本可以讓人一讀再讀，不會厭膩；不同的階段、不同的年齡去閱讀，也常常會讀出不同的心得或趣味。

《大人也喜歡的繪本》是和嘉綾聊天時聊出來的。對於不太擅長做企畫類型書藉的我們，真的吃了不少苦頭。還好不少朋友出手幫忙，才終於順利出版。

謝謝書中二十位推薦者，將心目中喜歡的繪本分享給大家。因為有這樣無私的推薦，不僅讓這本書呈現得豐富可讀，也讓閱讀繪本的角度與方法，變得非常多元有趣。

在繪本的編輯工作上，自己一直還是個學習者。二十多年前，帶我去「蠟筆屋」，讓我對繪本驚艷，從此踏上童書及青少年出版的「小朋友」，現在已經是台東大學兒童文學研究所的所長。因為自己的繪本知識不足，曾經不定期的去上過林真美、劉清彥的繪本課。近期與嘉綾的互動，也讓我接觸到不少形形色色的繪本。他們都是我在繪本編輯上的老師。

在台灣長期推廣、協助繪本出版，幫忙引進國外繪本，也鼓勵許多台灣繪本創作者的鄭明進老師，答應幫《大人也喜歡的繪本》寫序，讓這本紀念星月書房創立二十週年所企畫的書，更為精彩、圓滿。

希望這樣一本書，可以讓更多的朋友喜歡上繪本，懂得去感受生活裡隨處可見的的美好或感動！

企畫者序　賴嘉綾／「在地合作社」繪本職人

邀請大人們一起徜徉於繪本之無際海洋

　　開始這個計畫就因為玉山社的二十週年要到了。養個孩子二十歲也是一件大事，何況在這個出版業低迷的世代，每一天都要當作最好的一天，全力以赴。我們在每週固定的會議中，其實正在討論的是《麥先生的帽子魔術》如何出版，卻總是不知不覺有其他想法。於是這個艱鉅的任務就這樣從名單開始：如果我是一般讀者，我會想要聽聽哪些名家的意見？他們喜歡哪些繪本呢？也探探這些名家的書櫃；而我身為一個繪本嗜讀者，又有哪些是遺漏的好書呢？我成為最幸運的讀者，因為可以最先讀到這些文章。

　　每位和繪本相遇的人，在相遇之前本就有故事，相遇之後，生活裡的點點滴滴也都變成故事。繪本的魔力讓我有如追著紅蘿蔔跑的兔子，或是想要去拾回樹枝的小狗，拚命往前衝。但是這些文章讓我沉靜下來，仔細回想與繪本的每一次相遇。因為繪本，我成為溫厚的人；因為繪本，我成為愛說笑話的人；因為繪本，我成為獨立思考的人。或許我原來就是這樣的人，但是繪本讓我找到我自己。用一種單純的力量，與書對話、與人結緣。

　　我也有自己特別喜歡的繪本想要分享，所以我也希望每一位讀者邊看這本書就能列出自己喜歡的繪本，假想自己就是那位推薦繪本給大人的名家。想像力，的確是繪本帶給我最大的禮物，因為在繪本裡什麼都有可能發生，而且創作者還

會做得「有圖有真相」般的，讓讀者深信不疑。

如The Frog Who Wanted to See the Sea《看海的青蛙》裡在小池塘長大的青蛙愛麗絲，她已經熟悉池塘的每一個角落了。但聽海鷗說有一個看不到邊界的地方叫做海，所以她非常嚮往，又聽說沿著河就可以找到海，河對小青蛙已經非常龐大了，那海是什麼樣子呢？海的浪大到讓她心慌，沿途幸好帶著荷葉，又有漁夫和月亮的幫忙，讓小青蛙經歷了大風浪之後平安回到池塘。回到池塘的愛麗絲，總是會想著月亮和海，想念那個大浪和震驚的感覺。有一天，愛麗絲就不見了，再也沒有回到小池塘。最後的畫面是她站在荷葉上，乘著浪，做個勇敢的衝浪者。

繪本的世界有如那個所謂一望無際的海和守護平安的月亮，一旦經歷過這些美好和悸動，就很難回到沒有海和月亮的小池塘。而每一個與繪本相遇的人，都能被平安守護又能自在的乘風破浪，這是何等的幸運。我好想要像那個漁夫，將神奇的瓶子傳到每一位讀者手中，介紹更多大人親近繪本。但我知道這需要teamwork，而在繪本界，有很多很多具有神奇魔力的「漁夫」，是不是要將這些漁夫們先一網打盡呢？於是和魏總編協力邀請這些神奇人士，參與這樣的工作，儘管還是有不少神奇人士因時間的關係無法參與，但是我們還是盡力完成，感謝各位先進們不計排名順序、破除出版藩籬。從開始邀請，到收到一篇篇精彩的文章，每一篇都帶著我神遊到另一個繪本領域，我想，我一直只是小青蛙……。

游珮芸／台東大學兒童文學研究所所長

未完的故事

2000年11月12日，日本北海道的小樽市民會館有一場「繪本的可能性」的演講與座談會。三位演講者與座談人分別是河合隼雄、松居直與柳田邦男。日本榮格心理學家第一人的河合先生當年72歲；在福音館書店創立日本自製繪本系列「兒童之友」的松居先生74歲；知名的報導文學作家柳田先生64歲。我讀著這一場盛會編輯而成的《絵本の力》(岩波書店，2001年)，腦中浮現三位頭髮花白的「老先生」在講壇上分享著自己與「繪本」的因緣……。

在日本唸書與工作的那段期間，我曾聽過幾次松居直先生的演講，松居先生是日本兒文界人人尊敬的先鋒者。河合隼雄則是長期關注兒童文學的發展，並且常以兒童文學作品來談論榮格心理學。我造訪過在京都日本文化研究中心當所長的河合先生，他

親切的送我一本書，還笑著說：「兒童文學界真該頒給我一座最佳宣傳推廣獎！」

看到這兩位重量級的日本文化人談論繪本，就好像聆聽台灣的編輯與創作者曹俊彥老師和哲學家的楊茂秀老師談繪本一般，不令人意外。但是，一向處理嚴肅的社會議題、在成人文學領域耕耘的柳田先生的出現，就有不一樣的故事了。

柳田先生自述，他57歲的那一年，25歲的次子在長期憂鬱之後自殺身亡；身為父親的自己陷入深深的自責與悲慟的境地，整整兩個多月無法做任何事情。過了三個月的某一天，他終於心情較為平穩，走到了住家附近車站旁的書店，平常只看小說與報導文學的他，竟然在繪本區停下腳步，或許是想再與他於兒子小時候讀給兒子聽的幾本繪本相遇……。果然，他

看到了幾本令人懷念的繪本，但看到更多新的繪本。他拿起一本宮澤賢治的《風之又三郎》，凝視著繪本上的圖畫，腦中浮現了自己少年時期的田園與校舍的情景，不知為何，感覺到一種平靜與療癒的力量。於是，他買了那本繪本與其他幾本繪本，回家慢慢翻閱，從此成為繪本迷。他認為，人生到了後半階段，才真的需要有幾本繪本相伴左右，隨時精讀慢讀，讓「在工作的庸庸碌碌中被遺忘了的那些重要的事——幽默、悲傷、孤獨、互相支持、離別、死亡、生命等，宛如隱形畫在炙烤後一一浮現。」

這是我珍藏的一個有關「大人與繪本相遇」的故事，跟大家分享。

這本書裡，有許多你也認識的「大人」（大人物）和繪本相遇的故事。原本，我也是寫稿人之一，不過因為遲遲未交稿，所以，「淪落」為寫推薦序的……。不過，也因此有幸看到許多朋友、尊敬的長者所寫的自身體驗，一面閱讀，一面感嘆：「喔，這樣呀！ 原來如此啊！嗯嗯，那本繪本我也超愛，不過，還有一本也很棒……。」

是的，還有一本、還有、還有……。

我自己的故事還沒說呢！你的呢？

在我們人生的後半場，讓繪本陪伴著，讓我們繼續、持續談論著，編織著光澤閃耀的故事網。

是的，如果你自己不愛繪本，那麼，怎麼跟孩子分享繪本呢？

鄭明進／資深美術教育大師及圖畫書創作者

欣見《大人也喜歡的繪本》出版，
談繪本的圖像之美

收到《大人也喜歡的繪本》文稿，發現這是一本匯集二十多位愛好繪本的專家群見解的書，他們同心協力推薦了現代世界優良的繪本150本。我說這真是一本「繪本百寶箱」、「世界繪本精選集」。

下面我以長久以來參與繪本創作、兒童美術工作者的立場和觀點，以書中推薦的繪本為例，來談談「繪本的圖像之美」。

一. 活用線畫之美

一般成人包括家長、老師、繪本愛好者，在選擇繪本時，往往偏好色彩繽紛的繪本，而忽略了以單色來描繪的「線畫為主的繪本」。

「線畫」之所以美是因它能以線的變化和力道──長短、曲直、粗細、疏密等等來表現出物體的明確性、速度、壓力、節奏和氣氛，也能表現物體的質感，如柔軟度、堅硬感等等之美。

例如書中推薦的《森林》（第1冊第57頁）是一本活用線畫，以粗細線條，快速勾勒，巧妙的表現出樹葉的飄飄然，樹木枝幹的硬直、粗壯之美，以及動物們體毛的柔軟之美，構成一本十足自然味的好繪本。

再看《鴿子的羅馬》（第1冊第85頁），則是一本活用黑線的粗細、直線、斜線來描繪出羅馬古建築的雄偉風貌，又從不同視覺角度，平視、俯視、仰角向上看等等構圖。

二. 亮眼的七彩之美

在世界繪本中，要找出以「彩畫之美」來表現的繪本相當多，在此舉出幾本以五顏六色的彩畫來表現，較為特殊的繪本來介紹。

被兩位專家推薦的《好餓的毛毛蟲》（第1冊第40頁；第二冊第107頁），是一本讓世界孩童瘋狂著迷的繪本。當小朋友看到這本書的封面時，眼前出現的是24公分長、弓著身軀的大毛毛蟲——誇張的造型、亮麗的綠色身體、紅臉，身上還長了許多彩色細毛，太吸引每個孩子的眼光啦！內頁裡活用打洞洞的巧妙設計，表現出毛毛蟲將喜歡的食物吃出一個洞、兩個洞、三個洞的趣味，更呈現毛毛蟲蛻變的經過，最後還從繭裡跑出來，變成展

開20公分大翅膀的七彩蝴蝶，真是亮眼的一本繪本。難怪這本書在全球大賣了三千三百萬以上，是史上最暢銷的繪本！

《約瑟夫的院子》（第1冊第104頁）是英國查爾斯・奇賓的作品。他是一位擅長獨特用色的插畫家。他曾經說：「色彩是來自太陽強烈的光。當太陽夕照時，天都染成紅色，一切都是紅咚咚。」他在這本書中活用他的感性筆觸，又用強烈的色彩及留白表現出充滿了「光和色彩」的力量之美。

三. 畫出自然的奧妙之美

我們居住的大自然處處都可以見到植物生長的美妙景象，繪本中也可見到畫家以他們的敏銳眼光所捕

捉的這些自然的奧妙。

《蘋果和蝴蝶》（第 1 冊第 48 頁）一書中可以看到畫家活用線畫和色塊，巧妙的畫出毛毛蟲從紅紅的蘋果裡面跑出來，然後變成繭，並破繭而出變成蝴蝶的美妙圖像，真是一本亮眼的自然繪本！

《草莓》（第 1 冊第 58 頁）是日本著名的雕刻家新宮晉的作品，他擅長用立體雕刻來表現大自然的能量，利用風、雨、水等自然元素創作立體動態雕塑。所以他在這本書活用特殊的畫風，把一顆草莓成長的過程，透過雪景、風、陽光、雨的景象，美妙的畫出一顆草莓的成長之美！

四. 看繪本中的世界文化之美

透過繪本，也能在紙上享受旅遊世界的樂趣！下面介紹幾本實例：

受到四次推薦的【旅之繪本】（第 1 冊第 75, 86, 109 頁；第二冊第 101 頁），是日本獲 1984 年國際安徒生插畫家大獎的安野光雅先生的作品。他從 1977 到 2013 年，跨越 36 年之久，完成了【旅之繪本】中歐、義大利、西班牙、丹麥、英國、美國、中國、日本等八本。這是一套無字的繪本。它的魅力在於畫家活用精細描繪的技法，把世界各地的風光、名勝古蹟、名畫、電影、童話等等，巧妙的隱藏在每本書中。尤其是他在描繪歐美的繪本時，用的是西洋畫風的線畫及水彩來描繪在紙上，但是在畫中國時，改變了畫風，採用軟筆畫線，並用絹布做

底，把中國風光、文物，畫成山水畫風格，呈現出中國的景象之美，真是令人敬佩！

　　我以這四種角度綜觀繪本之美，不過，每本繪本都各具獨特的美；來自不同文化背景、不同民族性，擁有不同自我風格的插畫家們，都在他們的作品中發揮了各自的創造力，也因此每本繪本都有屬於其繪者的獨特表現手法，這一部分就有待讀者挖掘、品味。這本書推薦的150本繪本有150種特色，而世界上待讀者翻閱、欣賞的書不只這150本，閱讀繪本真可說是一種美感的體驗過程，希望讀者們用雙眼進入繪本這個藝術的殿堂，享受繪本豐富的魅力。

前言　楊茂秀／毛蟲兒童哲學基金會創辦人。國立台東大學兒童文學研究所兼任副教授

大人和小孩合作欣賞繪本——
先從一小口一小口開始互相學習

繪本像是人，人是沒有本質的。要說繪本，要問：「繪本是什麼？」對我而言，有很多方式，而我最喜歡，最安心的方式，是用譬喻來描述。以下是我常用的幾種譬喻：

一、繪本的圖是大地的風景，繪本的文是大地上的路。走繪本的路，要不斷的翻頁，繪本的文路會催促人往前走，「往前走，翻頁，再翻頁。」大地的風景會吸引人再看一眼，「再看一眼，細細的看，每一眼看見的都不一樣，是的，再看，慢點翻頁，看久一點……」常常閱讀的人知道，路與景，圖與文之間，一直處於一種進退拉拔的矛盾。有生活嗎？有，只是，要先迷路。

二、繪本是紙面的劇場。劇場中的人物與創作的人合作，在構成故事的過程，一而再，再而三，不斷邀約讀者參與，成為創作的夥伴。好的繪本不企圖說服，不做灌輸，而是提供交談、溝通、表達、領受與分享的平台。

三、繪本是觀念玩具。繪本當然有許多功能，但是最重要的是要好玩。事實上，繪本只是玩具。書怎麼變成玩具了？是的，繪本有雙重身份，它們是書，它們也是玩具，而且是多功能的觀念玩具。什麼意思？書多半方方的，像是積木，小孩會把書當積木玩，很自然，不是嗎？可是，它們也可以翻開來，可以唸，可以玩，可以看，摸摸聞聞也免不了，而那些看到、聞到、摸到，唸出來的，說出來的，都成了符號：書本的西瓜沒有西瓜的滋味，可是，它們和真的西瓜一樣真，只要你開始想像，觀念穿上聲音的衣裳，會有模有樣，可以玩。觀念初始在人的腦中，也在人的心靈中，後來處在書中，其實觀念無所不在，它們可以上天下地，當書成了它們的家，成了觀念的店，小孩可以在那裡自在玩整天。

四、每一個繪本是一試探連結可能性的思考實驗：人與自然，自然與人，人與其他存在及人與自己連結的方式。十九、二十世紀，意識流的寫作，從美國哲學家威廉·詹姆斯（William James）開創，影響了他的學生史太音（G. Stein），再影響她的學生瑪格麗特·懷茲·布朗（Margaret Wise Brown）——她創作的每一本著作：從《重要書》到《逃家小兔》、《月亮，晚安》，都是對她自己意識

的實驗成果。

五、紙面的影片：日本繪本大家，也是日本最有歐風的圖畫作家安野光雅明白說過，他把繪本當紙面的影片在經營，他把卡通，漫畫與電影都熔在紙本上，而且非常的超現實，卻又在抽象與具體中，探索出相互協助的韻律。

六、繪本是詩，許多繪本的語言，文與圖與演奏都很簡約、跳盪、直覺，時常繃破形式邏輯的框架，而那情與意與智性的種子，和兒童的語言與思考是同一國的。兒童對繪本詩一般的語言能「懂」嗎？當然能懂，而且往往比成人更容易去懂，懂進去它們的深處。但是兒童的「懂」往往不透澈！可是，誰對什麼有透澈的瞭解呢？生命中有許多美好的東西，意義濃郁而且神秘，瞭解它，要時間，要環境，要有累積轉化的背景，要營造轉化的條件，要能談論，能做區分，而不是做區隔，可以從詩分行的音樂性，詩句的意義性，及字裡行間的意象流通狀況三方面去看，換句話說繪本藝術是詩一般的藝術，是意象，故事說演與繪畫的結合。

以上我簡約提出六種繪本是什麼的譬喻，做為我選擇、探索、討論繪本的參考。

小時候，我沒有閱讀過繪本，我接觸繪本是我們有了孩子之後的事，事實上，是我的孩子引領我走進繪本世界。然後一轉眼很快就三十年了，這近三十年，我研究推展的是兒童哲學，而繪本是兒童哲學重要的平台，以下我選出來在此談論的作品，每一本書都有它的重要性，可是，你看看就好，不一定要去欣賞，不一定要去喜歡，它們沒有哪一本是你非讀不可的，就像人家介紹一道菜給我，我都是先吃一小口，不合口味，吐掉可以，就是吞下去了，也不會太難過，「試讀」如「試吃」，一小口一小口，比較健康。世界上的書，沒有那一本是非讀不可的！另外，這已經不是一個迷信經典的時代，只讀經典名著的人，不可能成為人家喜歡和他相處的人，所以，以下我選談的書，你參考看看就很感謝了。✐

楊茂秀於毛毛蟲兒童哲學基金會

Harold and the Purple Crayon
《阿羅有枝彩色筆》

文、圖：Crockett Johnson克拉格特‧強森
譯：林良｜出版：上誼文化

我選的第一本書是Crockett Johnson的創作，林良爺爺譯的《阿羅有枝彩色筆》Harold and the Purple Crayon。

繪本像是人，人沒有本質，繪本也沒有本質，不能為它下本質定義，最好是打比方，用譬喻來彰顯。

我說過，繪本的圖是大地的風景，繪本的文是大地上的路。圖會叫人再看，多看，慢慢看，文卻會催人快翻頁。閱讀繪本，處在圖與文拉拔的矛盾，有出路嗎？阿羅就是帶著一隻彩色筆，為我們提供出路。一天晚上，阿羅決定到月光下走一走。天上沒有月亮，想在月光下走一走要先有個月亮，阿羅便在書上畫個月亮。要走，得要有個地方，可以在上面走，阿羅畫出地方，地方上，他築出一條又長又直的路。上路了，出發散步，帶著彩色筆。接下

來，世界隨著阿羅的期望漸漸開展，不合期望，他就用彩色筆創作出他要的東西，他把小山改成大山，他以為爬上高山，就可以看見他臥室的窗戶，卻跌了下去，往下摔，這不只迷路，而且危險，他還是用彩筆解了色，畫出氣球，在空中，畫出大樓，大樓滿是窗戶，大樓多到成了都市，好多窗，可是哪一個是他臥室的窗？他迷路了，這一次他沒創造，是問警察，結束時，神來之筆是，他為自己畫個窗戶，把月亮框在裡面，阿羅睡著時，彩筆掉在地上，故事結束。阿羅走出了繪本創造之路，一切都是主動的想像，大膽的虛構，他把夢與現實的可能性結合在一起。

看過嗎？這本書很小，大人的手掌就能掌握，全書單單是紫色的線條，畫呀畫，其他全白，把阿羅的頭與手畫成灰灰的。

The Shape of Me and Other Stuff
《形狀大王國》

文、圖：Dr. Seuss蘇斯博士｜出版：遠流

第二本書，我選的是蘇斯博士的書《形狀大王國》The Shape of Me and Other Stuff。

他的書非常之多，他也拍電影，但是，他的書，每一部都不只是書，而且是觀念玩具。蘇斯博士為我們提供了一面讀書一面玩耍的觀念——玩耍的天地。

剪影，這古老的形影活動，叫人的想像一下自由起來。帶點懷念、念舊的成分，加上無拘束的觀念遊戲和隨意的幻想，比起一個通電的、任人控制的方盒子所能提供的愉快，滋味是多麼不同啊！

蘇斯博士這本The Shape of Me and Other Stuff借用剪影來表現形狀。從頭到尾，像是在看皮影戲。但是那戲演的不是有情節的故事，也不是情節若有似無的抽象結構。那戲演的是生活中隨手拈來的片段：一隻蟲、一個氣球、一張床、一部腳踏車、兩個小孩划船放風箏，而那風箏是一條魚。每翻一頁，我們就看見一首日常語言與剪影構成的圖畫詩。

一頁一頁翻，一首一首欣賞，唸啊，看啊，忍不住自己也要去剪一些圖畫詩。怎麼開始呢？關掉電視機與收音機。一片白牆，幾隻手，一支或兩支蠟燭。當然，免不了的是一個有空閒的夜晚。

嘴唇的形，

水滴滴流的形，

花生米與鳳梨果，

鼻子與葡萄，

每一樣東西形狀都不一樣，

對，還有口香糖的形狀，

口香糖有好多好多不同的形狀。

這些斷斷續續的、分別不相干的形，蘇斯博士敘述時，特別引入了一種技巧，這種技巧我指出來，你也一目暸然：

你知道……（You know...）

而且……（And...）

一條蟲……（A bug...）

這種應用點點點，以引導讀者或聽者主動想像的設計，在這本書裡，從起點貫徹到結尾，真是叫人不知如何是好，只好一路不斷岔開，進入自己的想像世界。

故事像是生活中的窗戶。蘇斯博士這一首剪影圖畫詩是裝上三稜鏡在夜晚看的窗子。

《到烏龜國去》

文、圖：劉旭恭

第三本書，我選的是劉旭恭的書《到烏龜國去》。

到目前為止，我仍然認為劉旭恭是台灣最富玄想性的圖畫作家。他的作品常常在很具體的圖畫故事中，提供讀者體驗、玩耍哲學判準、言詞抽象的遊戲。但是，不止於此，他也提供很玄很普遍的人生哲理。《到烏龜國去》就是玩判準、玩抽象遊戲，又提供玄而普通的人生哲學，或更好說它是一本生活態度的繪本。

我的桌上放著當初和平國際文化有限公司出版的這本書，屬於「玩心繪本」系列。封面要是把那個「蛋」型的「好書推薦」紅標拿掉，就是完美的封面。也許這是必要的缺點——為了推薦它是好書，先將它的封面貼上一大個的缺點：紅蛋一粒。書名五個字，是手工寫印出來的，每一個字都顯現出烏龜的樣貌，每一個字都成了烏龜這種動物的「象形字」。「去」有烏龜的動態；「國」字是烏龜的背，「龜」有整體、立體及人習慣想像的烏龜的樣子；「烏」字像是烏龜用後腳立了起來，人模人樣；「到」字彷彿「烏龜」走到目的地，斜著身子要開始休息的神態。封面以白色為底，下方1/5不到的白，是廣場式的大門口。接近希臘神殿前，竟是一隻巨大的烏龜雕塑，書名橫在烏龜的背後白底。妙的是站立的烏龜雕塑胸口有四個黑色小小方形，讓人覺得整個畫面是烏龜國的國門。

這個設計，桃園機場可以設計看看。如果國際友人、過境旅客或我們國人出入桃園機場，有如此美好的「歡迎藝術」、「接待藝術」或「送行藝術」在，多有意思啊！

它有意思，不只是意像的，也是意向的，也是把整個希臘及其受伊索寓言影響的氣息，做了一個大大的轉變——兔子與烏龜，不再只是在「賽跑」，而是一起去旅行。故事一開始，小兔子到烏龜國去旅行，文

句，放在白白的紙面，對面那一頁是兩幅相關而獨立的圖：熟透香蕉皮顏色的停機坪，上面有兔子剛走下的飛機、引道及行李車一輛，另兩架遠處的飛機；小兔子站在灰色的機場旅客出口處，一派不知所措的樣子。

在故事發展中，劉旭恭提了很多時間、空間與速度的例子之後，提醒讀者，兔子與烏龜觀念中快與慢、心理感受的時間與物理時間，比較上，物理時間一樣，心理上的差別有多麼大，並藉此突顯出「快」與「慢」的形而上的意涵。

劉旭恭這本書提供了一個可供討論的現象；這個現象跨越了哲學、認知學及文化的界域。全書就用白色為底，東西、人物（除了兔子）都是灰的，而金黃，也就是我說的熟透香蕉皮的陽光色，是書中唯一的「彩色」。這樣的色所表達的設計與安排，本身就達成一個層次的抽象作用，引人入形而上的玄想境界。

最後，我想說，劉旭恭不斷使用對比，持續經營快與慢，以空間隱喻時間，並將時間與空間藏在圖與文交會的過程中，把他的生活哲學及形而上學「種」在灰、白與香蕉成熟時，蕉皮的金黃顏色中。

他也提醒讀者，慢比快更重要，在空曠與等待中慢慢成長，在星空下靜靜睡著，比一直趕要有意思了多。我是說，這種人生才有細節，而細節是一切故事的根本。只重情節而無細節的事件，不可能成為好故事。

The Ticky-Tacky Doll（碎布娃娃）

文：Cynthia Rylant辛西亞・勞倫特
圖：Harvey Stevenson赫維・史蒂文森
出版：Harcourt Children's Books

我選的第四本書，是The Ticky-Tacky Doll，碎布娃娃。

此書的文是辛西亞・勞倫特（Cynthia Rylant）創作，圖是赫維・史蒂文森（Harvey Stevenson）的傑作。整本書的畫面呈現的像是夢境，也像是歲月久遠的記憶，很能呈現出三代人共同生活的文化傳統氛圍。故事一開始是一個小女孩，她有一個碎布做的娃娃，是祖母用做衣服剩下的布做的，娃娃和小女孩是好朋友，睡覺和遊玩，不管到哪裡都抱著她，簡直像小女孩的一部分。

後來小女孩去上學了，學校老師不准她帶娃娃來學校，於是小女孩在學校不學習，也不吃點心，她回到家，就用雙臂抱住娃

娃，很久很久。

每天碎布娃娃都留在家，小女孩去學校，可是就是不學習，她不學字母，不學數學，她不唱歌，也不吃東西。每個人都很擔心，沒有人知道原因，除了祖母。祖母知道寂寞和思念的感覺，於是她為小女孩做了另一個小小的碎布娃娃，可以放在書包的角落，讓這個小小的碎布娃娃陪小女孩一起去上學，這是祖孫倆的秘密。他們讓比較大的碎布娃娃留在家，像是一個媽媽等著她的小孩回來，而小的碎布娃娃是讓小女孩有個認同。小女孩沒有告訴任何人，她的書包裡有娃娃，不過她開始學習，一切正常。

這個故事顯示出，孩子的問題需要真正的了解，才能有效的解決。書中沒有去質疑或反對學校不准小孩帶娃娃這件事，但是卻提供了一個以了解為基礎的解決方式。但是這本書也和之前所選的書一樣是藝術品，需要經常接觸、和小孩一起閱讀，享受其中的藝術氛圍，將裡頭所涵藏的智慧變成自己性靈的一部分，那麼遇到情緒上的不調適時，自然就會流露出，也才能有效的運用。

不管是成人或小孩在閱讀這些書時，透過敘事的經驗，常常能將自己生活的經驗參雜在敘事的過程中，重新建構新的經驗，在意義或美學上，都有非常積極的功能，能將恐懼痛苦的情緒納入可供自行了解的思維座標，不會以為自己的經驗是獨一無二、而無法料理的深淵。

Night of the Gargoyles
《夜晚的吐水怪》

文：Eve Bunting伊芙‧邦婷
圖：David Wiesner大衛‧威斯納
譯：楊茂秀│出版：遠流

我選的第五本，是《夜晚的吐水怪》Night of the Gargoyles。

雖然這是一本黑白故事書，但其實更像是一篇散文跟很多名畫的結合。作者伊芙‧邦婷（Eve Bunting）用石頭感覺的散文詩來描寫吐水怪，全篇幾乎沒有情節，書中的詩情是她對怪物的思想做了非常深入的挖掘，也做了普遍的彰顯。插畫名家

大衛‧威斯納（David Wiesner）所呈現的圖，可以說是給吐水怪成就了無法取代的藝術氛圍。

故事一開始，吐水怪盤據整個畫面的天空，這個跨頁看到三個大大的吐水怪，從高高的牆壁邊緣探出身子，張著嘴，瞪著空洞的眼睛，陰影處有幾隻鴿子蹲在那兒，整個畫面給人安靜的感覺。但安靜中卻有山雨欲來風滿樓的氣勢。翻頁過來，就是夜晚，晚上是吐水怪活動的時候。我插敘一下　，翻譯這本書時，我正在歐洲旅行，吐水怪其實就是歐洲古建築的消水管，特別是古教堂，吐水怪的嘴巴就是水管的出口，這種東西實用又有裝飾性，其「怪」是組合的怪，是樣子的怪，常常是獸身人頭，其作用有點像是中國的門神。因此我走到那裡，就抬頭張望，尋找附近建築的吐水怪，最後我發現義大利的吐水怪不多。之後我就沿著威尼斯、薩爾斯堡、維也納和布拉格走，這是莫札特活著時經常出入的路線（2006年是莫札特誕生二百五十年的紀念年），我發現在比利時的教堂，吐水怪最多，追問之下，才知道那裡雨水最多。

整個故事的發展是在描述吐水怪夜晚時候的活動，每一個畫面都是吐水怪動作的凍結。將人的想像和擔心以建築上的實用與裝飾，具體呈現在藝術的畫面上。閱讀書像是在欣賞畫冊，閱讀書像是在讀一首長長的詩，伊芙‧邦婷的詩確實很有石頭的味道：堅硬、粗糙中有滑潤，有一種在古教堂裡吟唱或聆聽宗教音樂的感覺。故事快結束的時候，作者說這些吐水怪對人沒有愛，那是因為人們把他們做成那樣，把它們放在高牆的邊緣，因此才有的抱怨，這也意喻著文化、自然跟宗教複雜的關聯，引人深思。吐水怪在這裡，很容易把閱讀者帶到現代人自己隱隱約約不甚清楚的神祕氛圍，而那是西方中古時代種下來的宗教與民俗的氛圍。

我是在歐洲旅行時，沿途不斷欣賞這本圖畫書，獲益匪淺，因為教堂的吐水怪是凍結的神祕；高聳、遙遠、其光影營造出的神祕，需要文化背景才容易予人領會意義，其細節除非拿著望遠鏡，不然總是模糊。可是我有這本書在手上，我讓藝術家大衛‧威斯納做我的眼睛，協助我想像，讓我在現代與古代、宗教與世俗、藝術與好奇之間，優遊與體會其中的趣味和那莫名的、淡淡的恐懼之感。這真是一本可以伴著遊人做文化之旅、藝術之旅的圖畫書。

《立石鐵臣. 台灣畫冊》

作者：立石鐵臣

我選的第六本書是⋯⋯其實我還有很多本要選，這是客氣話，真正的話是選不完的啦！原因是，我並不覺得我選的書中，有哪一本是不必要讀的，因為我的專業是繪本研究，所以當我談到繪本的時候，就像菜市場賣菜的人，如果給顧客推薦，都不是因為那是我最喜歡的；可是我現在要談的這本書《台灣畫冊》，是我多年來在台東大學教繪本課，一定會選的；這次我準備選它的時候，幫我打字的胡宜蘋說：「這是繪本嗎？」好一個問題！它當然是繪本，而且是以圖像記錄台灣的一個歷史繪本。

立石鐵臣出生在台灣，在台灣生活很久，對台灣有非常深厚的感情，他都用愛情的眼光來看台灣。在他受教育的過程裡，古典跟現代、中國及日本當時流行的畫風，他都有深切的體會，他辦過很多的展覽、得過很多的獎。我每一次看他的書，都覺得重新過一次我的童年。這本畫冊可以說是台灣民俗繪圖裡面非常經典的東西，他的畫面簡潔明瞭，時時用文字插敘幽默的說明，但一點都沒有畫蛇添足的感覺。

《台灣畫冊》是立石鐵臣1962年創作的，他在畫冊最後的摺頁上寫到：吾愛台灣，而且在四個字面上蓋了紅色的圖印；他在基隆港的岸邊唱〈螢之光〉，與揮手揮得都要斷掉的台灣人之見，有著穿越時代鴻溝的友情。我想在這本書的介紹裡，用他的話作為結束：「前日，去台灣的

人，送給我紅色蠟燭，在已變貌的今日台灣，做這個蠟燭的工人和以前一樣，把芒的蕊棒，浸入蠟的熔液而取出；隔壁造線的老爺，現在也把吊於寺廟的香環排成美麗的花紋；相命師拉著胡琴，從他們所住的小巷流出陳三五娘的唱聲；歷歷浮現於眼前，而後強烈的陽光，伊就瀰漫於山野吧。」

親子共讀是一門哲學

希望我還有篇幅一直寫下去，如果你對我前面的談論有興趣，可以看看我的書《重要書在這裡》，在那裡，我特別提到，我學會讀繪本，是因為我的女兒；小時候，她不斷地要我重複唸一本書，那本書叫做《露西兒》；有一天早上，她在媽媽房間跟我的房間中間，來來回回地跑，聽媽媽唸英文、聽我唸中文，她注意每一個細節，她等待、她預期，她的表情隨著故事的發展，不斷地變動，使我瞭解到，一本書像是一個人——成人閱讀，常常有太多的批評；孩子的閱讀，就像跟好朋友聊天；而我，從中學到，把成人的世界，跟孩童的世界，圖與文，及音樂、意義與意象怎麼樣結合，那是一種很基本的、人跟自然相處的哲學。如果沒有跟小孩透過書本的演奏，特別是繪本的演奏，我是會相當缺憾的。至今，常常浮現在心田的一段經驗，是我從輔大回來，女兒迎接我的是朗誦、表演她媽媽當天教她的一首英詩，那是Edward Lear的"The Owl and the Pussy-Cat"。那是我熟悉的一首詩，那時她才三歲不到，媽媽那天跟她一面玩一面跳，她竟然在幾個小時裡面，把它融合在生命的歷程裡；而我，從她的演奏中，重新評估孩子整個思考體態跟詩、繪本的各種可能性，在我的生命過程中，那是很少有的高潮之一。

20
People

×

150
Books

二十位繪本嗜讀者
與繪本的邂逅及繪本推薦。

盧千惠

盧千惠

兒童文學作家。日本國立御茶水女子大學研究所專攻兒童文學。身為前駐日代表許世楷的夫人，
經常從事各種文化交流及公益活動。目前仍以民間的力量，積極持續促進台日間的交流。

從伊索寓言開始

阿姨在我四、五歲時帶給我的繪本，到現在還留存在我心內。
這是我常常帶繪本當禮物送給小朋友，甚至大人的理由。
沒有比這更有附加價值的禮物啦。

我出生於1936年，在日本統治下的台中。我四、五歲的時候，阿姨常來看我的媽媽，那時她剛生下妹妹。阿姨總是帶日語的繪本給我。日子一久，她帶什麼樣的繪本我卻忘記了。

1955年，我到日本留學的第二天，為了買一本字典，到附近小小的、木造的書店。開門進去的矮桌上，擺放著彩色、琳瑯滿目的繪本。有日本作者的，也有翻譯本，繪本非常的多。這在當時的台灣書店是看不到的。我隨手

拿起【伊索寓言】中的《螞蟻和蟋蟀》。因為想起了阿姨給我的繪本中有這故事，讓我有「突然遇見久違的朋友」那樣的感覺。看到最後，發覺這本書的故事和小時候看的結尾不一樣。它這麼寫：

冬天到了，開始下雪。蟋蟀冷得發抖，被雪蓋住的四周完全找不到吃的。

他想到大熱天搬運著食糧的螞蟻，他們家一定有很多吃的，就到螞蟻家敲門。螞蟻的媽媽出來開門。

「能分一些吃的給我麼？我快餓死了。」

螞蟻媽媽，看到可憐的蟋蟀，說：「進來和我們一起用餐吧。我們有夠吃的。」

螞蟻家的客廳大桌上，擺放著好多好吃的東西。

螞蟻媽媽請蟋蟀吃桌上的飯菜，一邊告訴他夏天要想到冬天的冷。

但小時候阿姨帶給我的繪本卻不是這麼寫的。

螞蟻向站在門口討食的蟋蟀說：「當我們流汗工作的時候，你嘲笑我們，勸我們不必那麼辛苦工作。你在樹蔭下整天拉琴唱歌。現在你也可以繼續唱歌跳舞呀！」

然後就在他的面前關了門。

當時，這結尾給我小心靈很大的震撼。想這螞蟻怎麼這樣地無情、這麼地小氣。但是或因為這結尾，讓我小小的心靈知道這世界嚴肅的現實。

我在日本念書，和同學生活一段時間後，慢慢地了解日本人改編故事的原由。第二次世界大戰敗戰，那慘痛的經驗，使日本人認真地摸索他們國家新的願景。追求世界和平、和其他國家的國民共享富裕的生活，成了他們共同的認知。這願景，誠實地呈現在國小、國中、高中教科書上，甚至在大學教育、經濟、文學、法律、藝術各科目上。

伊索寓言中的這故事改編成如上述的結局，和這樣的想法是有關係的吧。紀元前六世紀伊索活著的時代，人民的生活非常艱苦、嚴肅。伊索不得不嚴肅地告誡他四周圍的人，趁夏天，要好好準備「冬天的食糧」。我們台灣人的祖先也告誡子孫們：「好天著存雨來糧」，不是麼？

阿姨在我四、五歲時帶給我的繪本，到現在還留存在我心內。這是我常常帶繪本當禮物送給小朋友，甚至大人的理由。沒有比這更有附加價值的禮物啦。✦

盧千惠與孫子共讀繪本

盧千惠

最喜歡的繪本

伊索寓言——
《伊索繪本館》

文、圖：村上勉｜出版：講談社

《伊索物語》

文：平田昭吾｜圖：井上智｜出版：白楊社

《螞蟻和蟋蟀》

編：川田夏子｜圖：藤枝龍二｜出版：學研社

活在2600年前希臘的伊索（Aesop），
留下無數的小故事，娛樂無數的大人
和小孩。「龜兔賽跑」、「太陽和北
風」、「小羊和狼」、「老鼠開會」、
「金銀斧頭」、「獅子和老鼠」、「狼
來了」、「鄉下的老鼠和都市的老
鼠」、「牛和青蛙的母親」……都是從
小聽，而聽不厭的故事，也是講給三個
孫子最多次的故事。現在，我手頭上有
三本日語版的《伊索寓言》故事繪本。
文章簡潔，繪畫可愛又纖細，讓我有愛
不釋手的感覺。

《賽德克故事——
Kari pnsltudan rudan》

文、圖：邱若龍
出版：玉山社／星月書房

在國外生活了三十多年，回來台灣那一
年，1993年，剛好是聯合國訂為國際
原住民年。為了認識台灣四族群中最小
群的原住民，我們夫婦決定到玉山神
學院教書。雖然只是九個月的時間，但
是我在那裏認識了來自各族的老師和學
生，過了很快樂的時光。學生們個性開
朗、誠實又有禮貌。他們不只歌唱得
好，運動也很在行。對台灣歷史課抱有
特別的興趣。

我們到過世界很多地方，也學會其他國
家的語言，但是對自己土地上同住在一
起的原住民，卻有很多的「不知道」。
這一本《賽德克故事》可彌補我們對原
住民的無知，這繪本裏有他們的神話、
規矩、生活、以及生死觀，也讓我們認
識莊嚴的山脈薰陶出的，賽德克族堅毅
正直的民族性。

Asi ka saw kiya ,
kiya ka mtkla bay sediq . kmbaka bay knkawas daha ,
kiya malu msturun , mhuqil ciida do ,
malu moda hakaw utux ,
musa mthuy utux rudan daha ,
saw nii sa , kiya ka sediq balay .

這樣的人，才算成人，才有資格結婚，
死後才能越過彩虹橋，與祖先見面，
成為真正的賽德克‧巴萊。

Kiya asi dmurun kingal risaw mi
wada mapa rabu musa cnbu hidaw ,
noda bsiyaq knkawas do ,
mdakil ka napa na rabu da ,
kiya laqi nka wada ptuting kingan hidaw da .
kiya ka wada triyuh idas qtan ta saya .

人類只好派出父子遠征太陽，
最後由長大的孩子射死了一個太陽。
成為今天的月亮。

心中洋溢著溫柔，體貼的光，
光閃爍著向我寄語：
「讓我們心連心，手牽手。這麼做——
我們就能和遙遠村莊的女孩，
和沒有見過面的村人成為好朋友。
讓我們心連心，手牽手，來和他們分享幸福。這麼做——
悲哀和痛苦，就能漸漸地從世界上消失。」
在閃爍的光中看到的，深印在我的心中。

The gentle compassionate light fills my heart to overflowing,
speaking to me saying, "If we join our hearts together
with the girls from that village far away and
with foreigners we haven't even met yet,
they will become very important people to us.
Let us join our hearts together.
Whatever makes you happy, do the same for those
to whom your heart is joined.
If our hearts are joined together,
little by little, the sorrow and suffering in this world
will become less and less."
What I saw that day was burned deeply into my mind.

《剛達爾溫柔的光》

文：Minami Nanami、日本國際飢餓對策機構
圖：葉祥明│譯：盧千惠
出版：玉山社／星月書房

當外孫女美里還是小學生的時候，我到東京她家渡暑假。
她的暑假作業就是讀二十冊以上的書，再從中找兩本印象
最深的，寫讀書心得。她從圖書館借來許多書，放在客廳
長椅旁，有空就在那裏讀。

有一天清晨，早起的我和美里斜坐在長椅讀書。我看到她拭眼淚。於是坐到她旁
邊問：「怎麼啦？」她說：「這兩個女孩走了三天的路，想領奶粉和玉米粉，但
是被士兵說她們不是剛達爾的人而被趕走。爸爸和哥哥已經餓死，媽媽的眼睛也
瞎了。」但是我看到封面醒目的青藍色天空下，蛋黃色的地平線上兩個女孩，一
個回頭揮手，一個手提著東西。我告訴孫女：「你看，她們一定分配到奶粉和玉
米粉，平安回到家啦。」她張大眼睛看，然後安心地笑啦。

書後解說的「世界糧食問題」，是我們大人必須細讀、了解、並面對的。

《小鴨艾力克》

文：三浦貞子、森喜朗
圖：藤本四郎｜譯：盧千惠
出版：玉山社／星月書房

外子許世楷在日本當代表的時候，有一天帶一本繪本回來給我。說是訪問日本前首相森喜朗的時候，他很得意地拿出剛出版的《小鴨艾力克》要世楷交給我，看是否寫得夠標準。我吃了一驚，想不出在日本政壇上叱吒風雲的政治人物能寫出這麼細膩溫暖的繪本。

出生在野鴨家族中的家鴨艾力克，體型笨重，和哥哥姊姊一起學習游泳、走路都還可以，但是，學習飛行的時候，怎麼努力地拍動翅膀，就是飛不上去。他的母親、哥哥姊姊、鄰居的龜太郎，其他池裏的朋友都在旁邊加油，就是不行。冬天到了，候鳥的野鴨家族不得不留下艾力克向南飛。

當天，艾力克向放不下心的媽媽說：「我沒有問題的。」龜太郎以及其他池塘旁的朋友也鼓勵他：「艾力克長大了。別擔心，何況我們都在這裏」。

森喜朗先生長期擔任全日本私立幼稚園聯合會會長，特別對身心障礙兒付出關心。推薦此繪本給台灣的政治家，希望也能有如此高雅的童心。

The Very Hungry Caterpillar
《好餓的毛毛蟲》

文、圖：Eric Carle 艾瑞・卡爾
譯：鄭明進｜出版：上誼文化

我的大孫出生在加州洛杉磯，難得有機
會抱他疼他。一年或許有一次機會見到
可愛的孫子。他喜歡我讀繪本給他聽。
他自己從書架選出的，常常就是封面畫
著大毛毛蟲的這一本。

第一頁，作者只畫出白色的月亮、樹
葉上小小的蟲卵。第二頁，看到探頭出
來的太陽和剛出生的小毛蟲。第三頁，
孫子等不及我念出：「餓肚子的毛毛蟲
開始找吃的。星期一……」他接下去說
「吃過一個蘋果」。我念「星期二」，
他說「吃兩個梨子」。「星期三」，
「吃了三個李仔」。「星期六，餓肚子
的毛毛蟲吃──了──」，他急著說，
「蛋糕、冰淇淋、黃瓜、乳酪……到西
瓜」。孫子最喜歡念出毛毛蟲吃的十種
點心了。這孫子今年已經大學畢業，但
是我還記得他依偎在我們身邊那溫馨的
感覺。

The LORAX

文、圖：Dr. Seuss
出版：Random House Books for Young Readers

兒子友弘從美國來看我們時，帶給我一本繪本The LORAX（羅雷司），是現代美國有名的兒童文學家蘇斯博士的著作。掀開封面，看到灰色的廢墟城市，和路邊怪形異狀的枯草。這城市原本好似童話故事裏的城市：長著很多「多福拉」樹，它的葉子柔軟像羽毛、彩色的樹葉在微風中飄搖，非常的漂亮，池中有會唱歌的魚，有會爬樹的「巴巴爾」，空中有很多鳥快樂地飛翔。

有一天，從他鄉來的「完事啦」看到「多福拉」漂亮的樹葉。他趕緊帶斧頭、帶工人、帶鋸仔來砍樹。砍啊砍，為賺錢，繼續砍啊砍。老「羅雷司」跳出來，苦勸他不能這樣。但是沒有用。「巴巴爾」、會唱歌的魚，和鳥都垂頭喪氣地離開這城市。最後的「多福拉」樹被砍倒了。老羅雷司拍拍屁股也離開了。沒有多久，整個城市變成了廢墟。看完這繪本，我知道不只台灣，世界各地，都有為了賺錢不惜破壞環境如「完事啦」的貪心漢。這是讓我驚心動魄的一本繪本。

people
02

Leonard S. Marcus
雷納・馬可斯

紐約時報與號角雜誌的專欄作家、
世界首屈一指的兒童文學史學家與專業書評家。

帶來驚喜的閱讀享受

有許多圖畫書能以直達人心、率真的生活寫照，
讓不分年齡的讀者都能享受閱讀的樂趣。

關於繪本，我比平常人開竅得晚，我到二十四歲、成天耗在紐約市的書店時才真正接觸到這類的讀物。我的父母從來不曾讀故事給我聽，在家排行老三的我只有接收哥哥姊姊讀過的書。那些都是隨便挑的，裡面一本經典都沒有！三、四歲時我最喜歡的是Little Golden Books小金書系列裡關於職業和工作的一本書。我花了許多時間研究那本書，並不是因為特別喜歡其中的插圖或文字，而是我認為它可以告訴我如何回答家族聚會時叔叔阿姨們一直問

我的：「你長大想做什麼？」我最記得有一天早上，我躺在房間的地板上，盯著打開的書，想著到底要當牛仔或是加油站員工才好呢？一切都太難抉擇了！當時我根本沒想到一本圖畫書可以帶給讀者歡笑、感受冒險，還有探索這世界的奧妙。

二十幾歲時第一次遇到一本讓我驚豔的圖畫書，那時的我還是一位尚未發表過作品的寫手。那是一本我在一家書店的櫃子發現、由美國詩人Randall Jarrell從德文翻譯的新版Snow-White and the

Leonard S. Marcus的書房

Seven Dwarfs（《白雪公主和七個小矮人》），繪者為Nancy Ekholm Burkert。雖然當時的我對設計或插畫的了解有限，但當下我馬上發現這一本書的與眾不同，明顯地一切都是經過精心考量才出版的。書的用紙觸感非凡、字型很優雅又諧和，Burkert的水彩畫很大器，細節清晰、光影明亮，讓整體氣勢很震撼又吸引人。繪者將白雪公主在野外森林的驚險奇遇描繪得極致生動，讓我終於了解為何這麼多的童話故事都在森林裡取景，人在荒野森林中是非常渺小、無法控制自己的命運，只能靠著不斷地自我檢視才能活下去。我更好奇也不解Burkert如此繪聲繪影的畫作為何都沒有在美術館展出過。

圖畫書藝術所受到的限制是一個適合在1970年代探討的藝術觀點。當時的藝術趨勢偏向抽象風格，寫實的畫風較不受歡迎，插圖更是被視為最低層的視覺藝術形式。我個人對這種歧視插畫的理論尤其不解，所以自己成為職

業作家時，也下定決心要更加探討這個議題。身為一位書評兼歷史學者，我決定要了解為何圖畫書藝術的價值一直不受注目，同時也想用自己的力量協助推廣。

這些年來已有許多改變，如今大眾對圖畫書藝術的接受度已經大幅提升，越來越多藝術家和作者也開始關注這個創作形態。現在圖畫書藝術價值越來越備受重視，市面上也出現許多外型漂亮，卻不盡然是真正適合現實生活中兒童的理解力或需求的讀物。當然，還是有許多圖畫書能以直達人心、率真的生活寫照，讓不分年齡的讀者都能享受閱讀的樂趣，這些也正是我最期待的作品！

舉William Steig為例，他的成名作是受《紐約客》雜誌所委託繪製的漫圖，直到中年後才轉戰圖畫書創作。他的作品帶給這個類別的讀物另一種混合童趣卻又有著高度複雜感，如Doctor De Soto（《老鼠牙醫——地嗖頭》）便

Snow-White and the Seven Dwarfs
譯：Randall Jarrell
圖：Nancy Ekholm Burkert
出版：Square Fish

Doctor De Soto 《老鼠牙醫——地嗖頭》
文、圖：William Steig威廉‧史代格
翻譯：孫晴峰
出版：上誼文化

是一本關於老鼠牙醫師的寓言。

故事中，老鼠牙醫不確定是否應該要為一隻牙疼的狐狸看診，他當然無法相信狡猾的狐狸，但又要兼顧職業道德。Steig讓這個故事不純粹只是生存之道，老鼠牙醫最後用很聰明的方法保護自己，和抱著中立的心情幫助這位陌生人。書中的圖畫用色亮麗，呈現出對生命、活著的喜悅，而顫抖的線條則是藝術家表現人性不完美的方式。

The Pilot and the Little Prince

文、圖：Peter Sis 彼德席斯
出版：Farrar

捷克出生的Peter Sis在美俄冷戰時期成長，當時的壓抑
情勢造成他日後偏好自由的冒險故事。The Pilot and the
Little Prince是以他個人的英雄，也是《小王子》作者，
法國飛行家聖修伯里為題的圖畫書傳記，因為他一直很
敬仰聖修伯里不顧一切堅持自己夢想的精神。Sis保有
一貫獨特的繪畫風格，一種穿梭在真實與夢境之間的畫面。他也常用到地圖與迷
宮，借此鼓勵讀者們去尋找自己的自由和探險，也提醒我們慎重的對待人生中每
個抉擇。

Orange Pear Apple Bear

文、圖：Emily Gravette艾蜜莉‧葛拉菲特
出版：Little Simon

Emily Gravette的Orange Pear Apple Bear只用到五個字，
而其中四個都在書名中出現了。這本精彩的圖畫書如同
一個數學遊戲般，Gravette分別畫出書名的四個字，接
著將字組成一對一對的詞再次畫出來。「Orange pear」
算是容易想像的，但「apple bear」又是什麼呢？這個遊戲就如同想像力一般，將
真實的事物湊成意想不到的組合，再從中萃取出不同的形態、美感和各種的意義。
用Gravette書中的第五個字做結尾再也適合不過了：There!

The Apple and the Butterfly
《蘋果和蝴蝶》

文、圖：艾拉‧馬俐、恩佐‧馬俐 Iela Mari, Enzo Mari
譯者：林朱綺｜出版：青林國際

近年許多出色的圖畫書其實是無文字、純視覺表現的作品。Iela與Enzo的The Apple and the Butterfly是很好的例子。這本書描繪一隻毛毛蟲從一顆蘋果爬出來到蛻變成一隻蝴蝶的過程。很湊巧地，這本書與Eric Carle有異曲同工的故事The Very Hungry Caterpillar同樣都是1969年初版，然而這本是2013年時才又在美國再版。相較之下，Mari夫婦的創作比較著重於娛樂觀眾，透過大膽的圖樣以及鮮豔的色彩清楚地表達故事。Enzo Mari是義大利著名的工業設計師，他深信設計對世界的美與諧和有所貢獻。如果這本書與茶壺、茶几、燈飾等一起被放在現代藝術與設計的殿堂，如紐約的MOMA也不為過，看起來會很匹配。

《蘋果和蝴蝶》，青林國際出版

Petit, the Monster

文、圖：Isol
出版：Groundwood Books

阿思緹·林格倫文學獎得主、阿根廷圖畫書創作者Isol的Petit, the Monster，書裡的小孩給人一種似曾相識的感覺。Isol顛覆傳統的敘述方式，只給讀者一系列的日常生活場景，主角Petit的所作所為不斷地被歸類於「好」或「不好」。這個小孩開始感到困惑，但怎麼能怪他呢？大人的世界時常並不諒解小孩的心情。Isol以同理心出發來說故事，難得讓大人在閱讀時體會小朋友的困境，相對地，小孩在閱讀時也會感受到被尊重與了解。

Wonder Bear

作者：Tao Nyeu
出版：Dial Books

Tao Nyeu的Wonder Bear是另一本無字書，但與
Mari的風格相差甚遠，走的是比較細膩和戲劇性
張力的風格。故事的開頭，我們看見兩位小孩正
在種果實，旁邊花園裡的花朵綻放著。像在安徒
生的《拇指姑娘》故事中，主角神秘地從花蕊躥
出，手拿著魔術師的帽子變出其他奇幻的動物們。繼續翻下去的每一頁都
是充滿想像力，宛如煙火般色彩輝煌的畫面。在看Nyeu的圖畫時真的是
一種享受，感覺每一頁都是為了給讀者驚喜而創造的。

Hansel and Gretel Standard Edition

文：Neil Gaiman尼爾·蓋曼
圖：Lorenzo Mattotti
出版：TOON Graphics

Neil Gaiman 重新呈現經典格林童話
Hansel and Gretel的挑逗文筆，在好夢
與噩夢細微的界線徘徊。與格林兄弟不
同的是，他並沒有明示故事中抓走一對
兄妹的險惡老太婆是女巫或是另外的超
自然邪惡力量，如此一來，這個奇幻
的故事幾乎可以是真實故事。Lorenzo
Mattotti 強烈的黑白筆觸以一種很原始的
力量臨摹故事中各式從愛到殘酷、大方
到貪婪的人性本色，繪畫很完整地搭配
文字一起説故事。

03

凌拂

知名散文作家。熱愛文學與自然。

擔任教職時致力閱讀推廣,退休後潛心創作本土自然文學作品,著有多本自然繪本及兒童文學。

字裡行間懷有對生命的深層思考。作品獲得許多文學獎項肯定。

繪本依然是繪本

在成長的過程中，觀念的內化，
繪本扮演了重要的角色，大人和孩子都從其中受惠。

　　在書的世界裡，繪本是個起點，經由大人和小孩的共同參與，成為一起進入閱讀世界的渡口。

　　我認識繪本的那個年代，是繪本商機正值當紅的時候。那時候繪本成套成套，動輒五、六十，乃至上百本不等，以直銷商業模式進入市場。被商業行銷綁架，購買者處於被動，半被迷眩，半被麻醉，半被說服的情境之下，為孩子的成長，為一個遙遠的未來，一下子搬回一大堆自己似熟悉，又不熟悉，半催眠之下的商品。這情形一如我們現在所了解的直銷手法，其實傾銷夾雜著人的欲望，雖然是書，卻對書的認知有限，對閱讀的深心愛悅，少了些許素常純樸的情感。

　　繪本誘導孩子，藉圖入觀，貼近孩子的內在，圖與圖前後連接與呼應，引導孩子進入生動、有趣的世界。而繪本中的文字，在孩子未能獨立閱讀之前，初始是大人為孩子唸誦，互動的良好媒介。大人與孩子之間，情感的交

流，知識與生命情態的建立便在其中。爾後，隨著孩子的成長，孩子閱讀的書中圖像遞減，文字遞增，更而逐漸進入文字世界，抽象的文字世界，是人類文化更深密的思惟。

繪本展現著各種不同的故事、情境與主題，我曾藉著個中的故事，做為主題，與孩子產生對話，討論過各種議題，無論是兩性、單親、情緒、自我肯定、自我追尋、環保、生態、親情……繪本都提供了最好的對話觸媒，深度導引孩子學會思考、傾聽、對話和表達，在成長的過程中，觀念的內化，繪本扮演了重要的角色，大人和孩子都從其中受惠。

那年代電腦、網路還沒這麼肆虐，閱讀安靜的文字與圖像，加上大人與小孩一起互動的言說，聲音是種動人的心靈交會與流動。

那個年代繪本中的圖像在引介孩子進入文字世界。

而今人類文化，科技更進入圖像世界，手機、ipad……指間滑動，賴來賴去，快速的支離、解構、零碎、片斷、閃爍著人們短暫的心緒、時間與思惟。在訊息傳遞上，單就文字與影像而言，影像有著絕對的立即性，強勢侵占人的耳目，但就人類深邃、綿密而抽象的思惟而言，結繩記事有著不足以言說的微分，遂漸乃有文字。而今指間滑動的，同樣是圖像，所扮演的則是對文字的驅離。文字與圖像的消長，亦見時代與文化的氛圍，繪本以圖文或互為相輔相成，或互為分庭抗禮，在閱讀的世界裡，入門的渡口我希望繪本依然是繪本，而不是被支解的圖與被支解的文，恍然的繪本。

凌拂的書房

好的繪本雋永如新，許多早年黑白印刷的古老繪本，創作故事膾炙人口，都還印在腦際，人文的、幽默的、啟發的不在少數，然而面對現今這個時代，為生生流轉的後世想，環境、生態策動著重要警訊，以人文與自然為主，我推薦《蝴蝶和大雁》、《綠色大傘》、《蝸牛去散步》、《十顆種子》、《草莓》、《森林》等優質兼具的繪本。

《蝴蝶與大雁》

文、圖：荷莉·凱勒
譯：林良｜出版：東方

《蝴蝶與大雁》這個故事寫生命的相會、交錯、成長與變化，有相互的關照、彼此的等待、同等的落寞與復得的悲欣交集。關鍵處總是圖、文互留一半空間給對方，由於輕輕點到，所以意在言外，更大的張力兩兩相成在圖文交錯的留白處。

故事以自然為背景，角色的選擇與情境的發展精準扣合。蝴蝶的變化與大雁的成長都要經過極大的轉折。一個要化蛹，一個要換羽，生命的脫胎換骨，故事巧妙地穿插了知性與感性，兩種不同的蛻變，不著痕跡，完全交融在情境裡。

以這個故事做為對話的題材，從自然的角度，可以談蝴蝶，可以談大雁；從人文的角度，可以談體貼、相處、孤獨、尊重、落寞、成長與蛻變，是一個小而輕盈，令人感動、回味的好故事。

The Umbrella（《綠色大傘》）

文、圖：Jan Brett珍‧布瑞德
出版：G. P. Putnam's Sons Books for Young Readers

《綠色大傘》以生態為背景，所有的情節都集中在一把綠色的大傘上。在傘中累聚的情節不斷地增加，但是之於傘的主人則渾然無覺，最後所有發生的故事全歸於無痕，有如羚羊掛角，無跡可尋。作者珍‧布瑞德的插畫精緻細密，色彩繽紛，以細膩的畫筆，展現熱帶雲霧森林的蓊鬱繁茂，極度掌握雲霧森林的深密氛圍，如實呈現物種的動態，把讀者帶入一個萬花筒般的世界。

她的畫以跨頁呈現，每一頁都是一個完整的布局，在指涉細節上，可謂不厭其煩。林中豐富的物種，隱密在有與無之間，珍‧布瑞德虛擬的真實，豈是一眼可以了然的呢！

《森林》

文、圖：文達爾‧勒貝克
譯：袁筱一｜出版：上誼文化

文達爾‧勒貝克是個深諳林中真趣的創作者，此書令我翻閱間愛不釋手，忍不住拊掌稱歎！

透過畫筆，可以看出他對森林的情感深微，以簡筆快速鉤勒，看似寫意，實則亂筆寫真，引人入勝，令人在亂草章法中，頗有深入其境之感，滿含真切。

這本書圖與文皆飽蓄詩情、詩意，從序幕開始即展現氛圍，暗不是真暗，真知森林的人，必然知道大地從來沒有真正的黑過。作者藉著光影的流動，點式跳躍，明快地展現。其中有林下、有洞穴、有草野、有水塘，空間伴著情境自然隨機而生，極其精簡，卻在言詮之外串連更多情節。

作者舉重若輕，四兩撥千斤，簡單中見繁複，繁複中見簡單，面對一座豐沛的森林，個中氛圍，可謂捕捉神準。

《いちご 草莓》

文、圖：新宮晉
出版：文化出版局（日本）

《草莓》是一本視覺浩闊的繪本，雖看似為幼兒而設，實則以小宏大，大人看了亦覺撼動，受其對空間的啟發。

作者新宮晉是一位國際知名公共藝術家，後轉向雕塑創作，他在全世界公共空間所設置的雕塑超過兩百多件，包括與日本建築師六角鬼丈合作的「創價學園」，以及義大利建築師雷諾・皮雅諾合作設計東京銀座的「風車」，2004年3月，在臺北的南港軟體園區，亦設計了一座生命力十足，會動的雕塑作品，名為《彩虹的誕生》，是新宮晉在臺灣的第一件作品。而《草莓》是他的第一本繪本。他以公共空間設置、動態雕塑藝術創作的學養創作繪本，草莓之於他，置於掌上有若宇宙星球，圖畫中充滿生命力的線條，如詩一樣的建構了知識與想像的無窮認知。

past some flowers,
very pretty –

Snail Trail（《蝸牛去散步》）

文、圖：Ruth Brown 露絲‧布朗
出版：Andersen Press

Ten Seeds（《十顆種子》）

文、圖：Ruth Brown露絲‧布朗
出版：Andersen Press

《蝸牛去散步》、《十顆種子》為同一作者，出生於加拿大的露絲‧布朗。這兩本書都是看似簡單，實則極其豐富，展現多元面向的繪本，結合大自然的奧妙，以及科學知識，作者以簡御繁的功力一流，的確是繪本中難得一見，且稀有的優質自然科學繪本。

《蝸牛去散步》的作者以小放大，帶領讀者進入了一個微觀的世界，隨著空間和場景的不斷變化，陽光、風日，處處都引藏了無限生機，不知不覺中讀者也化為蝸牛，尋訪了一段富麗的旅程。

《十顆種子》則以少為多，展現了生命的繁延，表達了大自然中的消與長。從遞增、遞減到生命無盡無盡的繁富，這本書展現了多重的不同面向。看似為幼兒而寫，實則深淺隨人而有種種不同的意用與變化，無論如何介入，都是一場精采的饗宴。一本好的創作，令人難忘，我如是推薦。

曹俊彥

兒童文學作家。插畫界與繪本界的長青樹。深耕兒童文學五十年,已出版兩百多本圖畫書和插畫書。
一九九五年獲頒信誼基金會「幼兒文學貢獻獎」。二〇一三年獲第四屆金漫獎終身成就獎。

圖像思考的閱讀和創作

圖畫書根本就是藝術品！
……能讓兒童在快樂的閱讀中，自然的接觸多彩多樣
而且精緻的藝術品，是多麼奇妙的事！

　　小時候（六十幾年前了）家裡曾經有類似繪本的圖畫故事書，當時聽媽媽和大哥、大姊稱呼那些以幼兒為閱讀對象的書，叫做キンダーブック（kinder book），是父親在世時買給幼年的大哥、大姊看的。因為是以圖畫為主的書，我們都用台語叫它們為「尪仔冊」。可惜搬了幾次家，它們就不見了。只在我四、五歲時的小腦袋留下一些彩色圖畫的印象。二〇〇〇年四月在東京小田急美術館展出「日本繪本100年展」，出版了一本畫冊，就叫《日本の絵本100年展》。我帶回來請大哥看，他並沒有指出當時看過的是哪些，只覺得有些看起來很眼熟。

　　大我十四歲的大哥，可能因為幼兒時期閱讀日本兒童雜誌的印象深刻，戰後台灣的《學友》雜誌創刊時，馬上買給當時正在讀小學及幼稚園的弟弟妹妹閱讀。我年紀最小，當哥哥、姊姊讀雜誌內容給我聽的時候，我除了欣賞裡面的插圖，就是把玩雜誌的

「附錄」。記得那些附錄，有時候是紙面具，有時候是如棋類的盤面遊戲，而我印象最深的是迷你小書。因為我是老么，「小」是我的專屬。記得有一本小書，畫的是拇指仙童的故事，看著圖就能知道故事的大要，應該是翻印自國外的圖畫書吧！看了《學友》的漫畫和小書，我就開始模仿、塗鴉、說故事自娛。讀初中一年級時，大姊結婚了。婆家在圓環附近開印刷廠，曾經承印教科書，也製造過牛奶糖。當時為了促銷，每一盒牛奶糖都附贈一本小小的圖畫書，只印單色。我也幫忙畫了幾本，薄薄的沒幾頁，故事是自己編的，不敢想像當時寫了什麼樣的故事、畫了什麼樣的圖。現在看了一定會臉紅的吧！

記得是師範學校畢業那一年（民國五十年），美國繪本作家孟羅李夫(Munro Leaf)來台訪問。聽他演講時，只記得他一邊講、一邊在黑板上畫圖。演講內容已經忘了，但是看到他那本《猛牛費地南》（之後又以《愛花的牛》為名出版），不管是故事還是圖畫都覺得很喜歡。那時候，我除了畫靜物、人物、風景等的水彩畫，也畫漫畫和一些商業美術設計，覺得他那種由寫實延伸出來的誇張造型，很有感動力。畫漫畫時，可以用這樣的思考模式。

後來教育廳成立兒童讀物編輯小組，開始編印中華兒童叢書。美術編輯曾諄賢先生是永樂國小畢業的校友，常常回來校園運動。看到我貼在學校玄關的漫畫作品，找我幫忙畫《小紅計程車》這本以小學中年級為對象的圖畫書。編輯小組的辦公室在仁愛路，是借用台大醫學院的房子，裡頭的書櫃，除了幾套成人和兒童的百科全書外，有許多當時在台灣看不到的兒童讀物和圖畫書。雖然大都來自美國的原文書，但是有包含安野光雅等日本人的作品在其中。第一次看到這麼精彩的東西，真有大開眼界的

曹俊彥為小讀者說故事

感覺。以前雖然在舊書攤看過，也買過美軍眷屬和新聞處流出來舊的圖畫書。因為是平裝本，印刷似乎不這麼精緻。在小組裡看到的圖畫書，印象最深的應該是李歐・李奧尼的《魚就是魚》、《小藍和小黃》和《小黑魚》，以及安野光雅脫胎自M. C. Escher作品的《ふしぎなえ》（不思議的畫）。它們不只圖畫精彩、印刷精美、紙質講究，裝幀也都極為用心，根本就是藝術品！對當時身為國小美術老師的我來說，真是驚奇與羨慕，因為當時在進行欣賞教學時，找適合兒童欣賞的材料很困難，覺得能讓兒童在快樂的閱讀中，自然的接觸多彩多樣而且精緻的藝術品，是多麼奇妙的事！後來有機會進入教育廳兒童讀物編輯小組，擔任美術編輯，雖然離開教職，自認是美術教育的延續與擴大，所以盡心盡力，有如魚得水之樂。

我是學畫的人，一開始大都是為別人的文字作品配圖或建構成圖畫書，後來看過許多歐美的繪本，發現有許多作品都是由圖像的構想，或以圖像的趣味做為發想的引子，也就是說，繪本的創作不一定要「文字先行」，也可以「圖像先行」。因此，我對繪本的興趣，多少會有些「本位主義」的，先注意可能以圖像思考發出來的作品。以下是一些例子。

一個會鼓起來，也會縮下去的山丘

《山丘上的石頭》

文、圖：大衛麥基
譯：張淑瓊｜出版：道聲

一座山，像饅頭似的，鼓鼓的、脹脹的。這樣的造型，你會聯想到什麼呢？大肚子？光頭？還是其他更好玩的東西？繪本幽默大師大衛 麥基把它想像成一座會膨脹、會洩氣、會收縮的山丘，山丘頂上住著一對夫婦，就這麼開始講故事，一個充滿圖像趣味的故事。為了能夠自動的打開洩氣的洞，又能自動的塞住這個洞，還安排了一個巨大的鵝卵石。在這樣一個現實生活不可能發生的故事中，演出人們的好奇，說出生活的稱心和不順心，也演出適應環境的巧思，是一本圖畫印象相當清晰的、令人印象深刻的書，書名就叫《山丘上的石頭》。

更小，更小，超級小

《壺中的故事》

文：安野雅一郎｜圖：安野光雅
譯：吳家怡｜出版：上誼文化

小時候常常一個人看家，沒有什麼玩具，自己胡思亂想，常常拿放大鏡看花盆裡亂生的小草、青苔，想像成野外的大草原，或獨孤森林。漸漸的就變成我隨意編的故事的場景。看到安野光雅的《壺中的故事》時，馬上引起我的共鳴，這本書會不會是安野光雅將幼年時對隱蔽空間產生的速想，拿來作為談數字的倍數成長的故事？

三千萬人站在一起的場景是難以想像的，想要具體的看到這難以想像的場景，就是圖像思考的一種。安野光雅雖然已經用很小很小的點來表示，還是無法在有限的畫頁中展現，不過卻已經給我們一個較為具體的概念了。這就是圖像的功力。

くろねこかあさん　あかちゃんうんだ
しろねこさんびき　おちちをのんだ
くろねこさんびき　あそんでばかり

《黑貓媽媽》，青林國際出版，p.5

黑白相襯的圖像節奏

《黑貓媽媽》

文、圖：東君平｜譯：曹俊彥
出版：青林

在一張黑紙上，剪下一隻貓的身影。如果將這隻紙黑貓和被剪了一個洞的黑紙一齊放在白紙上，就會出現兩隻黑貓，一隻白的、一隻黑的。喜歡以剪紙加上如詩的短文創作圖畫書的東君平，就運用這樣的圖像趣味，以如兒童畫般簡樸的造型，創作了黑貓媽媽和三隻小黑貓、三隻小白貓的圖畫書。

這本書每一節都有三行文字，同樣的句型單純的反覆中，有著如搖籃曲一般的「安心節奏」。句頭更安排了黑白黑這樣如剪紙效果般的特殊趣味。

淡淡的光影，靜靜的詩情

《っきとあそぼう》（和月亮玩）

文：內藤初穗｜圖：谷內こうた
出版社：至光社

圖像涵蓋了形、色與光，我們經常把注意力放在明亮、
鮮豔的世界，但是我們也很懂得去發現、去欣賞存在幽
暗中的美。幽暗並不是完全無光，只是明度較低而已，
而在幽暗的襯托下，微弱的光會有它異樣的美感。我曾
經在東京的書店買到一本文字很少，也畫得很暗的繪
本，書名叫《っきとあそぼう》（和月亮玩），描繪一
大片白雲在月光的映照下，淡淡的在夜空流動變化著。
在它頂端的一小撮雲幻化成小精靈，在沒有星星、寬廣
的空中翻轉、追逐，耍弄著圓滾滾、亮晶晶的月球。因
為是遙遠天際的戲碼，一種默劇特有的想像空間，淡淡
的透出靜謐的美感。

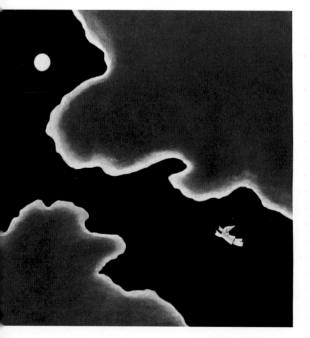

我們路過幾座冒煙的工廠。
We passed smoky factories.

We passed a small farm in the valley,

隨著光影起舞

Round Trip（《逛了一圈》）

文、圖：Ann Jonas 安‧瓊納斯
出版：HARCOURT SCHOOL PUBLISHERS

看似靜態的山岳、河川、樹林、道路、長橋、樓房，當陽光、月光、燈光，在那噴灑、流動、跳躍、散播時，它們便隨光展開千變萬化的姿態，是光影在它們身上跳舞，也是它們隨著光影起舞。《逛了一圈》這本書，不但畫出這些美妙的光之舞，導引讀者欣賞大自然的另一種美，更巧妙的將每一幅畫，設計成正面與倒轉，各自表現不同的時空風光，再將這些雙面畫串連成一個故事，從頭說到尾，轉回來再從尾說到頭，這不是很奇妙嗎？

那個「雞」蛋引起的巧思

《一個奇特的蛋》

文、圖：李歐‧李奧尼
譯：張劍鳴｜出版：阿爾發

蛋的形狀是大家都很熟悉的，是自然生成的單純造型。許多不同動物的蛋，形狀差不多，很容易產生圖形認知的混淆。這種困擾對經常作圖像思考的圖畫作家而言，卻是創意和巧思的出發點。李歐‧李奧尼筆下的青蛙，撿到一個蛋，就認定它是雞蛋，所以當這個蛋裂開，爬出一隻長長的、有四隻腳的東西時，就說：那真的是一隻雞。當然讀者只要看到圖畫，就知道其實那是什麼東西！就這樣，作者讓讀者感覺到文字敘述和圖像表達間有趣的矛盾。這是圖文共舞這種創作形式，才可能有的趣味。我喜歡李歐‧李奧尼的作品，如《小黑魚》、《魚就是魚》和《一吋蟲》，都是因為它是由圖像出發，而文圖之間常有一些令人會心一笑的巧妙互動。

長！

《國王的長壽麵》

文：馬景賢｜圖：林傳宗
構思：曹俊彥｜出版：小魯文化

「長」本身就是很圖像的，它和細是好朋友。條狀的圖形，越細，越顯得長。家裡有人過生日，母親都會煮一鍋麵線。吃麵線叫做「抽壽」，所以吃的時候盡量不要弄斷，站在椅子上拉得又長又高。雖然最後吃進嘴裡還是得要嚼細再吞下去，不過能夠拉得很長，就「祝福」得很有成就感了。我為光復書局編幼兒圖畫書的數學概念部分時，就構思了一個故事，關於國王的生日，廚師們設計了一個機器，一貫作業的從和麵、拉出麵條，下鍋到上桌，都是一條不會斷掉的麵條。國王、王后吃不完，全國百姓排隊幫忙吃。原來最長可以是無限！後來請馬景賢執筆、林傳宗繪圖，傳宗還真有那麼一回事的設計了這個機器，像真的一樣！

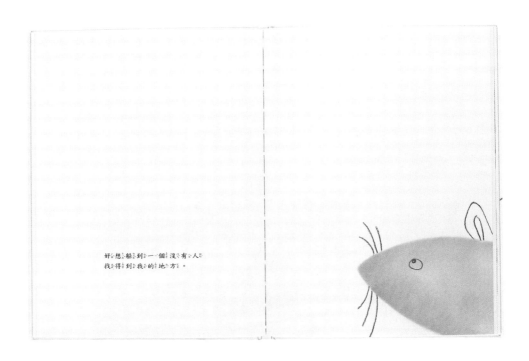

好想躲到一個沒有人
找得到我的地方。

一個自由翻轉的圖形

《有麻煩了!》

文、圖:伊波納·荷密艾雷波斯卡
譯:張琪惠 │ 出版:三之三

衣服或裙子沾到了墨汁,洗不掉,善於圖像想像的人會
拿支筆或針線,把這個墨漬畫或繡成一朵花、一隻可愛
的貓狗或其他好玩的樣子。這個墨漬,不同的人會有不
同的想像,轉翻不同的角度,也會引出完全不同的造型
想像。波蘭作家伊波納·荷密艾雷波斯卡,以一個熨斗型的焦痕做了二十種圖形
的聯想,並且將這些圖形串連起來,說出一個小孩闖了禍之後心中著急、煩惱,
想賴皮、想逃避、想嫁禍給別人……。最後選擇勇敢面對,在母親的巧思下,圓
滿的結束。這是一本無法光靠文字或圖像表現出來的「圖畫書」。

松本猛

松本 猛

日本繪本、美術評論家、散文作家。從小受母親,也就是日本繪本界知名畫家岩崎知弘的美感薰陶。
母親過世後,1977年創立了世界上第一座繪本美術館「岩崎知弘美術館」。
之後又創立「安曇野知弘美術館」,並擔過長野縣信濃美術館館長,東山魁夷館館長等。

自己與繪本的相遇

親眼目睹繪本創作的整個歷程後，
發現了和電影、戲劇的創作方式十分相似之處……

我的母親是繪本畫家岩崎知弘，因此從我懂事開始，身旁就有繪本相伴。當時的繪本，幾乎不是一本描述一個完整故事情節，大都兩頁一面呈現一個故事的形態居多。也許比較貼近現代繪本型態中的紙芝居。

1956年，當時我五歲，福音館書店的繪本月刊《兒童之友》開始發行，正式揭開日本故事繪本序幕。母親也是主筆者之一，出版社送來眾多繪本作品，我自然而然就有許多閱讀繪本的機會，

可說相當幸運。不過，當時的我，比起閱讀繪本，還比較喜愛在外頭打滾、玩耍到滿身泥濘。小學到國中，一路都是以棒球少年的身份度過，離開繪本世界相當遙遠。

高中生的時候，原本要繼續打棒球的，在一位美麗的女同學邀請下，不小心進入了戲劇社，成為日後的一大轉機。進社團後，開始創作劇本與演出，原本就會欣賞劇團演出的我，也經常觀賞起老電影。就在一次看了法國老

松本 猛的書房

電影（記得好像是雷內克萊爾導演的《巴黎屋簷下》）之後，感動不已，與母親聊起來時，才得知原來母親對電影所知甚詳！

我決定再次走進母親的工作坊，親眼目睹繪本創作的整個歷程後，發現了和電影、戲劇的創作方式十分相似之處。那時候起，我就經常出現在母親創作繪本現場，與編輯也變得熟稔許多。漸漸地對母親以外的繪本畫家的作品感興趣，特別是赤羽末吉、安野光雅、瀨川康男、田島征三以及谷內鋼太的作品，同時也開始著眼於外國的繪本作品。

進入美術大學學習美術史之後，母親邀請我一起創作《戰火中的孩子》這本繪本（日本，岩崎書店，1973年／台灣，林真美譯，青林國際出版，2012年）。當時正值越南戰爭戰況激烈時期，世界各國發起反戰運動風潮。母親融合了自己經歷過的戰爭經驗，陸陸續續地畫下了存活在戰場中的孩童們的姿態。那時候尚未具備故事架構，於是母親問我要不要試試將這些近30張的繪圖集結成一本繪本作品。

這也成為我第一次正式著手製作繪本的起點。不過，繪本出版的隔一年，母親因為癌症而離開人世。我的大學畢業論文以繪本做為主題。論文發表刊登於雜誌後，終於完成了專書《繪本論》。

我似乎成為以美術觀點研究現代繪本的第一人。1977年，設立了世界第一座繪本美術館「岩崎知弘美術館」（現今的知弘美術館・東京），爾後就在繪本的研究與評論的世界中工作至今。近幾年，以繪本作家、監製、企畫等身份，繼續從事繪本創作。現今持續「與繪本相遇」中！／

松本猛的
繪本推薦

《あめのひの おるすばん》
（下雨天一個人在家）

文、圖：いわさきちひろ岩崎知弘
出版：至光社

《下雨天一個人在家》饒富詩意地描繪出小女孩第一次一個人在家的心境寫照。一個人獨自在家，電話突然響起來。小女孩不經意地蜷縮在窗簾裡，一直看著那響著不停的電話機。耳邊傳來「躲起來也不是辦法啊！還是聽得見。」從小女孩臉上的神情可以讀出：猜測是誰打來的電話時所含的不安感；會不會是媽媽打來的，箇中錯綜複雜的心情感受。小女孩的心境可由藍色窗簾的顏色及渲染情境一覽無遺。整體畫面呈現灰色調，外加急著想要逃出去的小貓等安排，都成為描繪小女孩心境之重要元素。如有注意到色調巧妙地呈現出心境及場域氛圍，即可對小女孩感同身受。若進一步想像畫中未描繪之處，更可讀出這張圖中隱含著深層情感！思考一下：小女孩的手放在哪兒呢？是怎樣抓著窗簾的呢？試試看與小女孩擺出相同姿勢，或許就更能融入其境、感受小女孩此時此刻的心情。

此場景中可以看到庫爾貝的「碎石工」與貝多芬的身影／《旅之繪本 --中歐》，青林國際出版，p.12-13

【旅之繪本】，福音館書店／青林國際出版

《旅の絵本 (1) 中部ヨーロッパ編》
《旅之繪本 I 中歐》

文、圖：安野光雅｜編：鄭明進
出版：青林國際

安野光雅以「要製作一本有一千則故事的書」為目的，創作出【旅之繪本系列】繪本，讓讀者在閱讀中增廣了知識見聞，進而感受到這本繪本作品之魅力所在。讓我們仔細欣賞一下每一個精緻描繪的場景，即可發現其實在許多不起眼處，處處暗藏著玄機呢！舉例來說，米勒、庫爾貝、布勒哲爾、秀拉以及梵谷等畫家名畫、電影中難忘的一幕，都不經意地描繪在其中。此外，也可以在圖中發現〈吹笛子的男孩〉、〈國王的新衣〉、〈小紅帽〉等眾多故事之蹤跡。更可以看到貝多芬以及梵谷等人的身影出現在市民群眾當中，歐洲著名的風景名勝、眾所皆知的建築物以及紀念碑也陸續登場。

「後記」中，安野光雅寫道：「我並非是為了增廣見聞，而是為了迷失去旅行的。於是，我發現了一處如同這本繪本裡所描述的世界。那兒沒有受到公害、被破壞的大自然等謬誤的文明所侵襲，一眼望去，是一片井然有序、綠意盎然的美麗世界。」

《かようびのよる》《瘋狂星期二》

文、圖：David Wiesner大衛・威斯納
編：郝廣才│出版：格林文化

這本繪本作品，沒有文字，以畫面展開故事序幕。
樂在其中的最佳方法就是好好地觀賞每一幅圖畫，
如同欣賞影像一般。這些精緻圖畫採取寫實主義畫
法，加上精準計算下的構圖及場景設計，深深吸引著讀者們的目光。

這本繪本的有趣之處，誕生於作者突發奇想的點子：作者將自己化身為青蛙，想
像著如果能乘著蓮花葉、自由翱翔的話，想做些什麼事呢？至於在沒有被描繪出
來的場景中，青蛙們都在做些什麼？換做是自己的話，會想做什麼？如能如此想
像，世界將更加寬廣。威斯納在描繪故事登場角色時，都會細細思量：那個人是
從事怎樣的工作、過著怎樣的人生、好惡為何⋯⋯等所有相關事物，再進行角色
設定。舉例來說，一邊看電視一邊打瞌睡的老婦人，她的房間裡裝飾著許多幅
畫。再仔細瞧瞧壁紙、地毯、椅子以及日常用品，即可想像那個人的喜好了。習
慣細細觀賞每幅畫的人，即可一窺隱藏於每幅畫作裡的世界，這是一本每次觀賞
均能感受不同樂趣的繪本。

《ピンク、ぺっこん》(好餓的小粉紅)

文、圖：村上康成｜出版：間書店

村上康成的畫，乍看之下，畫得相當簡
單。但並非只是單純地簡化。這本繪本的
主角櫻鱒（又稱櫻鮭），從圖中魚身上的
模樣及特徵，一看即可辨認出並不是紅點
鮭也不是鱒魚，就是櫻鱒本尊！畫中的鳥
也是如此，絕不會將冠魚狗（翠鳥）看成
其他鳥類的。雖説不是寫實畫風，但是在
特別強調出個別特徵，讓人一眼就能立即
辨識出來。村上康成的畫或許可稱為動物
們的肖像畫吧！

這本繪本的主角是一條櫻鱒的小孩，小粉
紅，居住在山中清澈的溪流裡，以擁有粉
紅色的魚鰭為傲。小粉紅眼看石蠅幼蟲快
要被其他櫻鱒搶走時，趕緊鎖定正要飛上
川面的石蠅。就當小粉紅奮力一跳時，卻
被一隻大紅點鮭給搶先了一步。就在此
時，那隻大紅點鮭卻被快速飛進水裡的冠
魚狗給一口咬住了。這戲劇般的故事畫
面，同時象徵著食物鏈的一環。村上康成
在此繪本作品中象徵地描繪出大自然界的
法則。

《14ひきのあさごはん》
《14隻老鼠吃早餐》

文、圖：いわむらかずお岩村和朗
譯：漢聲雜誌｜出版：英文漢聲

野生老鼠大家族精采生活在大自然中的
姿態，正是這本繪本的魅力所在。故事
中展現出1930年代到1940年代的生活
模式。野生老鼠大家族的家，築於樹根
縫隙中，使用大自然中的素材，純手工
建造而成。裡頭有土間建築（日式建築
物中與地面同高的室內空間）；砍好柴
後，用廚房裡的灶烹煮、或者就在戶外
升火炊煮；利用屋簷雨水槽，從附近的
小河川引水過來使用。升火、用木桶擔
水的生活模式，與現代方便的生活截然
不同。不過，孩子們就是能夠本能地感
受到那隱藏其中的人類原始生存的喜悦
感。

所有的風景繪圖，均以老鼠等高的視角
描繪，展開了一個嶄新世界。有各式各
樣的昆蟲、鍋牛以及花朵，而且都比人
類感覺上的大小還來得巨大許多。或許
這是畫家岩村和朗一邊躺在草地一邊觀
察而描繪出這樣栩栩如生的世界吧！

《百年の家》《百年之家》

文：路易斯｜圖：英諾桑提
譯寫：郝廣才｜出版：格林文化

這本繪本作品依年份編排，將視點專注於一棟房子，持
續描繪其演變過程。舞台應該是位於托斯卡尼奇揚地的
一處鄉下。繪本主角是一棟在1656年以石頭建造而成的
房子。全篇故事以房子作為第一人稱，述說著在1900年
由一群孩子發現了這棟原為廢棄屋的房子而揭開故事序
幕，20世紀末尾的1999年，故事落幕了。登場人物皆不具名，仔細注意一下即
可了解整篇故事的脈絡：居住在山丘上的少女，她與居住在山腳下的磚瓦師傅
結婚，歷經生子、喪夫、孫子誕生，最後寂靜地走完一生。由房子週遭的自然
景色不斷地變遷、人們經濟狀況以及食衣住行型態的轉變情形，讓我們更進一
步了解第二次世界大戰是處於怎樣的大環境。只要我們仔細觀察每個小細節，
這本繪本就如同是一本歷史書，從這棟位於義大利托斯尼鄉下的房子，即可
一窺時代之變遷。

《ぼくは くまのままで いたかったのに》
《森林大熊》

文：約克史坦那｜圖：約克米勒譯：袁瑜
出版：格林文化

　　美麗的森林裡，有一隻熊正在冬眠。一到春天，大熊一睜開眼，發現周圍的環境產生了驟變。洞穴外頭建起一座現代工廠，大熊茫然地站立在那，動也不動。就在不知情下，大熊被廠長命令刮掉鬍子，並且穿上工廠制服，跟人類的勞工一樣開始工作。不久，冬天來臨了，大熊無法抵抗想要冬眠的睡意，漸漸地變得無法工作，就被工廠開除了。拖著沉重的步伐，走在雪中的道路上，大熊左思右想到底自己是誰，直到走進森林裡，才慢慢回憶起那段早就被遺忘的熊的記憶。

這本繪本裡描寫的巨大工廠，正代表著現代人製造出來侵蝕大自然的文明。最後大熊重新找回自我的姿態。這是作者對讀者們拋出的一個思考點：身為現代人，我們每個人是否都獨立自主？這是一本正視何謂文明、如何與大自然共生共存的繪本作品。

《かいじゅうたちのいるところ》
《野獸國》

文、圖：莫里斯桑達克
譯：漢聲雜誌｜出版：英文漢聲

　　《野獸國》是一本不管看幾回都會感到有趣的作品。主角小男孩阿奇被媽媽罵、命令他不准吃飯。從被關進房間開始到出發前往野獸島的四個場景，可說與卡通原理共通。每翻一頁，房間內就起了一點變化。漸漸地長出樹木，牆壁也消失了，最後變成一片森林。唯有窗外望去的月亮，在此連續四場景中，大致沒發生變化。阿奇被困在房間裡，唯一與外界的聯結就是那扇一直開著的窗戶。阿奇想外出、想要自由的願望，使得房間室內產生變化。桑達克不僅以表情、就連故事背景，也悄悄地訴說著小男孩的心境變化。仔細看畫中不斷增長的樹木，大家可以真實感受到小男孩的心情吧！

順道一提，一開始的弦月，在最後一幕中變成了滿月。只要察覺此變化，即可感受到這本繪本中蘊含著不可思議的時間感，為這本可以反覆閱讀的繪本，更添趣味。

06

張素椿

曾任國中美術老師。1986年旅美接觸繪本，發現它是自己喜愛的文學、藝術、哲理、兒童的綜合，
經整年的探索後，返台繼續充實。曾於誠品書店帶「圖畫書讀書會」逾十年，
並於報社與雜誌發表書評、導讀、參與評審等。
近年於台北市和平長老教會繪本館為成人開設「繪本時間」，旨在「重拾童心，賞味人生」。

我與繪本的故事

當成人能從圖畫書裡發現圖畫的美感並理解創作媒材、
感動於文字故事的優雅洗練、擁有體恤兒童純真的愛心、
洞悉作者要傳達的小哲理後,與兒童共享起書來,
不只更能展現圖畫書的美好,自己也能樂在其中,
內心同時被觸動。

民國76年左右旅美期間,因被 Ben's Dream 和 Now One Foot, Now the Other 等書感動,我掉進圖畫書大洞,不斷往來兒童圖書館,從依作者姓氏字母排列的A櫃看到Z櫃,又從Z櫃看回A櫃。也為了返台後能繼續接觸到喜歡的圖畫書做準備,從出版社、書商、評鑑機構、獎項、參考書甚至教科書都加以了解並收集資料,整個美國旅居史變成圖畫書探索史。

返台後繼續勤跑圖書館並到大學旁聽,與台灣童書界現況接軌。但見了好書,常有不知和誰分享之憾,起初在國語日報兒童文學版發表文章,日後也應邀在其他報上發表書評,參與圖畫書相關活動。

86年開始在誠品台大店帶圖畫書讀書會,為了把握發言時間,讀書會人數限在15人以下,參加的學員是來自各領域對圖畫書感興趣的成人,未料從一個讀書會開到三、四個讀書會,從台大店擴展到敦南店。當時進行的方式是將兩小時分為會前報告(意即

欣賞觀點與資訊）、報告、討論回應與總結。

每每在新讀書會成立時，第一次除了宣布流程進行方式，通常由我先報告「友情」主題書，意味從此我們不只將成為喜愛圖畫書的同好，也將建立情誼。第二次起就依序讓大家報告所認領研究的作家、畫家或主題。學員們從起初緊張到勇於爭取報告機會，有學者知道後，笑稱我們宛若是「圖畫書研究所」，確實依報告題目，每人都分別成為該主題的專家。眼看青出於藍，遇有演講機會，我多次引介學員去發表，也曾有圖書館暑期系列活動，由學員輪番上陣演講。

由於大家參加圖畫書讀書會，涉獵越來越寬廣，我在第二次的會前報告時，會對個人生涯將有什麼方向提出願景，簡言之，就是：創作、研究與服務。創作之路包含童詩、童話、少年小說、圖畫書之文與圖等；研究之路可介紹、推薦、比較、導讀、評論

及作主題與作家研究發表；服務之路對象分成人和兒童，前者舉凡讀書會、書店等推廣都是，對兒童則不論家庭親子共讀，或是學校、社區、圖書館，都可說故事或帶動其他以圖畫書為媒介的教學活動。

過去在演講和發表雜文中，我歸納過成人欣賞圖畫書的角度，可分別從藝術的、文學的、兒童的、哲理的多方面來欣賞，每個角度都有舉不完的例子。當成人能從圖畫書裡發現圖畫的美感並理解創作媒材、感動於文字故事的優雅洗練、擁有體恤兒童純真的愛心、洞悉作者要傳達的小哲理後，與兒童共享起書來，不只更能展現圖畫書的美好，自己也能樂在其中，內心同時被觸動。

讀書會帶十來年後，我自己專心教畫、作畫，漸漸疏離圖畫書。世事難料，又過十多年後，我參與和平長老教會成立繪本館，自己一半多的藏書都在館裡。為了讓教會及社區有更多的

張素椿的「繪本時間」

成人認識並使用圖畫書，我重新開了一門「繪本時間」課程，這時不若當年讀書會的嚴謹，對象是各年齡層願意踏進圖畫書世界，進一步了解圖畫書的成人，不論只是單純欣賞，或是想發現可應用的書與故事，讓他們能「重拾童心，賞味人生」，也讓藏書成為資源中心是我的願望。每週五下午我輕鬆自在講述我所知道的作家、畫家和主題，在滿室歡樂與對書的讚嘆聲中，訖至為文止，已進行到第三十三講了。

每每小講後看大家充滿喜樂的道別回家去，我內心非常愉快並感謝有溫故知新和重新分享的機會。我深信唯有喜歡、瞭解且能被圖畫書感動的成人，才能打開兒童閱讀的門，引領兒童走向幸福人生的道路。我做的事都是前段對成人的部分，當年讀書會的朋友如今已多嶄露頭角，現在的新朋友當也能享受或將美好歡樂傳承散布出去。

Window

作者： Jeannie Baker 吉妮‧貝克
出版： Greenwillow Books

與其說推薦Window，應該說藉著此書推薦Jeannie Baker和她其他作品。

用紙、布和其他媒材等拼貼出來的繪本Window，是一本無字書。畫面從剛出生的嬰兒開始，當他逐漸長大，房間窗外的景色也隨著年年的生日，由田園森林發展成熱鬧的城市風貌。作者在手作的畫面中細膩安排，不同年紀的物品漸次擱落在窗沿上，讓讀者判別屋外的年代變化；當窗外的綠意在小孩長大成家後幾乎消失時，他們只好重新搬到郊區，但這時新家庭主人手中的初生兒，又開始重複面臨窗外變化的新旅程。作者還有另一書《家園》，同是關注居住環境議題，同是窗外的故事，Window敘述重新尋找另一片綠意與自然，《家園》卻傳達從一個水泥森林裡，隨著小孩成長，在周圍種植各樣植物，主動改變環境也能回歸自然的過程。在人人企求與大自然和諧共存之際，兩書的綠色生活議題，讓我們反省，也給了我們解答。

《鴿子的羅馬》

文、圖：大衛・麥考利｜譯：吳倩怡
出版：遠流

大衛・麥考利是圖畫書界名人，眾作品獲獎無數，不論故事情節安排或各種畫法，精湛無須再著墨。本書是我常建議給速寫朋友的案頭參考書，就像收藏一本畫冊般，隨時可翻閱欣賞。書中只用黑筆線條畫法，透過一隻鴿子從鄉間到城市路途中飛翔的眼光，帶讀者欣賞現代羅馬城中偉大的建築和風貌，可說是一場古蹟的巡禮。此書

用不設限的各種角度，藉由鴿子飛行時的際遇和方向，可能是俯瞰、仰看或是專注於建築中匠心精巧的局部，配以圖下一角的巧妙解說，活潑的呈現各個建築特色。有宏偉建築設計圖的架構筆感，再利用黑線條的疏密與方向處理陰影與立體面，此畫法類似早年銅版畫印刷技法，其能力如今並不多見。趣味的是，鴿子飛過的路線以一條紅鉛筆線旋轉繪出，此足跡最後帶來了令讀者驚喜的圓滿結局。

【旅之繪本】，福音館書店／青林國際出版

【旅の絵本】

文、圖：安野光雅｜編：鄭明進
出版：青林國際

安野光雅是值得致敬的作家，這一系列旅行繪本舉世都不陌生。起初一本一本買，後見出版成套，但即使成套了，因作者高齡仍繼續創作，不時又出一本新作，西班牙之旅、中國之旅就是這樣出現；此系列持續創作的年代，跨越近四十年之久。透過一位優閒的旅行者，這些無字書除了呈現出各地區特有的歷史古蹟建築房舍，還有市街廣場裡的文化節慶和生活習俗。在清新而美麗的線條與色彩中，總是在不同角落悄悄出現大家熟知的經典童話故事；讀者也可以在每一頁中，藉由搜尋主角身在何處，發現不同國家的主題典故，和趣味變化的故事情節。每每提及繪本適讀年齡高達99歲，此繪本最具代表性，不同的年齡或文化知識，在書中將會看到不同分量的內涵。收集這系列旅行繪本，等同收納了豐富的手繪世界文化風情，是全家都能看的書。

《旅之繪本 --義大利》，青林國際出版，p.34-35

Books! The books lined up all the way to the bathroom.
"Come on, Sam," he heard his mother calling.
"Just a minute," Sam called back. He looked around.
"I need something else," said Sam.

The Line Up Book

文、圖：Marisabina Russo
出版：Greenwillow Books

The Line Up Book 鮮明中帶柔和的色彩與畫法，就像故事一樣簡單到差點令人疏忽。書裡敘述一個小男孩在媽媽呼喚快點來喝湯，免得湯涼了的時間裡，想出一個小遊戲。

從媽媽開始聲聲喚起，孩子就邊回應邊前去，但用的卻是一種排列東西到達的創意方式。「我還需要更多東西！」要到達媽媽所在餐廳的路途上，孩子東張西望尋找著完成他遊戲的素材，從各種玩具、鞋子到經過哪裡就取哪裡物品的方法依序排列，就在媽媽快要失去耐心前一刻，他將自己也排上去，和玩具物品一起到達了。最令人驚奇的是媽媽的反應，在理解他為何躺在地上和遲遲才來時，居然讚賞接納他。書中媽媽雖然希望他下次能立刻前來，卻不忘肯定遊戲，我看了如此的反應後，不必專家來教誨，恍然大悟，在育兒過程因此時時提醒自己言行。

這書，當然是給大人看的。

"Here are all the kids you'll have.
They were born to be your future."

That's Why!

文、圖：Babette Cole巴貝柯爾
出版：Red Fox

這本書描述一位叫Eiggi 的少年，在看到社會亂象後，不斷自
問著：我為什麼要被生下來。一個奇異的夜晚，從閃亮星空飛
來一隻飛馬，載著他去看過去和未來生命中許多相關的人，包
括父母、醫生、老師、妻子、子女和樂團的夥伴朋友，他們皆
是被生下來成為Eiggi 生命成長中重要的幫助和支持者；大家就像一塊塊結合的拼圖般互
相幫助，使每個人的生活過得更好。小飛馬告訴Eiggi ，我們生來的目的，就是去告訴大
家：要互愛、互助、互相照顧，並且在一起努力工作，讓這世界變得更美好。作者的書
一向勇於用俏皮率直方式談一般人以為嚴肅的問題，如父母離異或是母親生產等。隨著
小讀者的成長，作者在年歲漸增時，智慧和人生體悟流露在作品中，這本傳達「萬事互
相效力」道理的書，就不是只有青少年適宜了，我也喜歡。

《愛思考的青蛙》

文、圖：岩村和朗｜譯：游珮芸｜出版：上誼文化

這本書敘述青蛙和他的好朋友小老鼠，一起好奇並思考臉、心情、天空、你、我等不同現象的存在事實。而其所思考的，多是一件自然發生、大家習以為常、不一定有答案、但卻很有趣的事。這種思考可能是童稚天真地發出大人難以回答的問句，也可能來自具觀察、比較、分析和推理等智慧與能力。中間也穿插幾則感情移入的例子，青蛙設身處地想像並體會小草、癩蛤蟆和菓子的心情與感覺，非常動人。岩村和朗在創作過膾炙人口的老鼠和松鼠等系列圖書後，這本書以極簡的對話、線條著色，以及趣味的連環圖畫，顯明作者在年長後，對哲學思想或萬事萬物奧妙現象的觀察與思路，各年齡層的讀者都很容易被挑起重新探討身旁事物的趣味呢！如果你也愛思考，會對此書愛不釋手。

07

宋珮

藝術工作者。於多所大學、機構講授圖畫書和藝術史、藝術理論及欣賞等課程，
並致力推廣繪本藝術欣賞，從事圖畫書翻譯、評介。

變化與恆定

圖畫書永遠有其難以解釋的內在生命，等待與讀者互動……
（它）邀請讀者用感官和想像力回應，並且進入其中，
去印證故事裡的憂傷與歡愉、失落與滿足、荒謬與幽默、
真實的人性，以及無比豐盛的愛。

　　十多年前的一個下午，陪女兒去國語日報學芭蕾，等她的時候，信步走進一間開放的閱覽室，裡面沒人，桌上放了一本圖畫書，台英出版的《愛蜜莉》（後由青林重新出版），是我喜愛的詩人愛蜜莉‧狄金生 (Emily Dickenson) 的故事。我坐下來開始閱讀，一個小女孩的語氣借了潘人木先生的筆，用中文發聲，緩緩悠悠的，述說起她和愛蜜莉的一段故事。

　　隨著翻頁，詩一般的文字和圖畫把我包裹在一種奇妙的氛圍裡，周圍的空氣彷彿淨化了，隔開外面的世界，如此靜謐，靜中感受得到故事人物的呼吸和心跳。這氛圍一直持續，即使已讀完故事，闔上了書本。自此以後，每讀起這本書，同樣的感覺又會回來，甚至只要想起它，就有一股清新的空氣從心中拂過。這是我第一次體會了文字、圖畫和書結合所產生的力量。

　　在此之前，我已被圖畫書的圖畫吸引，為女兒訂購了一套漢

聲出版的圖畫書，裡面有林明子的《今天是什麼日子》、安東尼布朗的《你看我有什麼》，書裡的圖畫揭開一個又一個既可觀賞又可遊歷的世界，令我讚嘆。之後參與《童書非童書》（黃迺毓、王碧華、李坤珊合著，宇宙光出版，1994年）的編輯工作，進一步發現童書作家簡練的文字竟如此雋永，插畫家汲取古今中外的畫作精華，配合故事變換畫風，推陳出新，發展出各樣敘事手法。由此我開始搜集圖畫書，作為學校「藝術欣賞」課的教材。

看多了圖畫書，對於創作者自然生出好奇，他們跟歷代文學家、藝術家一樣，透過作品串聯起自己的人生，如果按照時間順序排列，往往找得出個人生活與時代的脈絡。於是我嘗試用藝術史的方法，認識所欣賞的圖畫書作家和畫家。之後，有感於文字、圖畫與書之間無窮的變化組合，也隨興的對照同樣由故事與畫面結成的動畫，以及近來興起的電子繪本。然而，在可分析的觀察所得外，圖畫書永遠有其難以解釋的內在生命，等待與讀者互動，就像《愛蜜莉》。

如果一定要探究圖畫書的魅力，也許可以說是它結合了變化與恆定兩種質素。以變化來看，故事情節與說故事的方式總是有所變化，讀者在翻頁間一再期待、一再猜測、時而滿足、時而驚喜，直到看見最後結局；而圖畫中蘊藏的巧思也是一種變化，讀者每每發現之前忽略的細節，幾經咀嚼之後，又嚐到新的意趣。此外，圖畫書的封面、頁面設計、作畫媒材也隨著製紙、印刷、裝禎、數位技術的進步，而屢有新貌。

至於恆定不變的則是圖畫書文圖交織、密不可分的形式。作家

宋佩的書房

必須活用有限的文字，把握32頁（偶有例外）的篇幅述說故事，而畫家必定借靜態畫面暗示動態劇情，與文字合作無間；文圖共同展演，邀請讀者用感官和想像力回應，並且進入其中，去印證故事裡的憂傷與歡愉、失落與滿足、荒謬與幽默、真實的人性，以及無比豐盛的愛。魯益師（C.S. Lewis）談到受造的世界時曾說：變化與恆定的結合形成節奏，如春夏秋冬的輪替一般，滿足了人心對這兩種需要的渴求。看來，變化與恆定的奇妙結合，也交織成圖畫書動人的節奏！

Brother Sun, Sister Moon
《太陽弟兄、月亮姊妹》

文：Katherine Paterson凱瑟琳・派特森
圖：Pamela Dalton潘蜜拉・達頓
譯：宋珮｜出版：道聲

法蘭西斯生於十三世紀義大利亞西西地方富裕的布商之家，曾經放縱揮霍，直到二十四歲那年，經歷上帝呼召，決定終生過貧窮生活，服事病人、修復教會。他相信如果我們打開屬靈的感官，就能夠在一切的受造物中看見上帝的作為，致使我們愛上帝、敬畏上帝，並且與萬物一同見證上帝。而這本圖畫書正是把法蘭西斯〈太陽頌歌〉裡與萬物親愛、共榮主恩的精神用新的文字和圖像表達出來。

改寫這篇頌歌的凱瑟琳・派特森是極受敬重的美國兒童文學作家，生於中國，雙親是宣教士。她和法蘭西斯一樣把屬靈生命謙卑又活潑地注入文字中，看似質樸無華，卻有莫大的力量。這份質樸也展現在潘蜜拉・達頓的剪紙上，她的造型既大器又精緻，色彩瑰麗柔美，經黑底襯托，彷彿透出光輝。這本圖畫書讓我們看到人類心靈不僅美麗，更承繼了上帝的創造力，以致於能用詩詞和各樣技藝，反映祂的榮耀與美善。

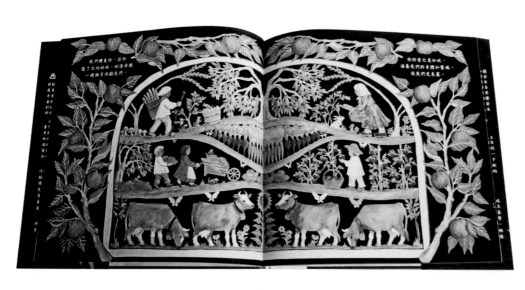

《春天來了》

《春天來了》

文、圖：五味太郎 | 譯：吳宜真
出版：上誼文化

《春天來了》是為幼兒創作的圖畫書，文字與圖畫都很簡潔，描繪大自然四季的變化、孩子的活動，還有新生的小牛在一年之間的成長。雖然形式極其簡潔，卻蘊含著生命的喜悅，因此每次閱讀，心都被觸動。

五味太郎一向善用單純的線條、形狀、色彩說故事，他僅僅用桃紅色背景就暗示了春天的繁花，用橘黃色表達陽光和暖，將雪融化，又借牛背把畫面一分為二，形成一條延伸的地平線，橫越之後的十一個跨頁，讓讀者清楚看到季節變換，天空與土地的明顯變化。延伸的地平線不僅描寫空間，更呈現延續的時間感。五味太郎的圖畫與文字開啟了讀者的感官，除了用眼睛觀賞外，還讓讀者聽到風聲、笛聲，聞到花香、草香，碰觸到狂風中強勁的雨，和冬季飄散的雪花，何其豐富。

The Hidden House
《藏起來的房子》

文：Martin Waddell馬丁・韋德爾
圖：Angela Barrett安琪拉・芭雷特
譯：宋珮（中文版已絕版）
出版：Candlewick

北愛爾蘭作家馬丁・韋德爾用稍微疏離的語氣，描寫一棟小房子和三個木頭娃娃從起初受人細心照顧，到被荒廢遺忘，任憑植物攀爬封藏，最後因為有了新的主人，而得重生的故事。韋德爾彷彿追述一段淹沒的歷史，引人尋幽探勝，如詩的文字配上安琪拉・芭雷特細緻的圖畫，散放著淡雅悠長的美感。

小房子和木頭娃娃彷彿是塵封的藝術品，重新被人發現，細心整理，並得到應有的賞識。這樣的藝術品蘊藏著一些秘密，只有「不說話」的藝術品自己曉得，不過有心人總會在他們身上尋獲蛛絲馬跡，揣測出留在他們身上的歷史，和當初創作者的心意。他們也像是沉潛的記憶，或是封閉的心一樣，長久隱藏起來，需要一個契機、一位知音，才得從晦暗之中走出來，迎向窗外燦然的美景。

Emily
《愛蜜莉》

文：Michael Bedard邁可・貝達
圖：Barbara Cooney芭芭拉・庫尼
譯：潘人木｜出版：青林國際

西方藝術家對於創作的能力特別敏感，有人認為創作力是上帝的恩賜，有人相信是與生俱來的天賦，有人認為藝術家需要不斷磨鍊技巧，因此毅力比天份更為重要。不過技巧不足以說明為什麼某些詩句、音樂，或是圖畫能激發靈魂深處的震撼，彷彿揭露天國的一角，讓人受那靈光洗滌。《愛蜜莉》雖然描述的是詩人愛蜜莉・狄金生的故事，卻同時在談詩、談音樂、談大自然與創造的奧秘。

故事中的小女孩是作者虛構的人物，借著她的眼光與聽聞，讀者也一起探索、體會自然與藝術的秘密，正如她送給愛蜜莉的百合花球莖，在冬季裡隱藏生命，等待春天的陽光、雨水滋潤，發芽生長，又如媽媽彈奏的琴聲讓詩人枯萎的心復活，而愛蜜莉送給女孩的詩，也將在她的心裡開出花來。如此看來，大自然與藝術創作相似的地方，就是竭力使萬物活起來的力量吧！

The Three Golden Keys
《三支金鑰匙》

文、圖：Peter Sis 彼德席斯
譯：林迺媛｜出版：Doubleday

閱讀這本圖畫書一定要有足夠的時間慢慢觀賞。這是捷克作家彼德席斯寫給女兒瑪德蓮的信，為讓在美國出生的她認識爸爸長大的地方——布拉格。筆尖充滿深摯的情感。彼德席斯自述旅途中迷路，無意間回到故鄉，為要進入兒時的家，必須拿到三支金鑰匙。他由黑貓領路，穿梭古老的街道尋找鑰匙，過去的回憶隨著熟悉的景物一一浮現，季節也由冬轉夏，經過秋天，終於回到春天，整個城市為之復甦。

席斯用繁複細密的手法描繪場景，讓讀者感受不同季節的氣氛，並且透過他的眼睛觀賞布拉格獨特的建築與街道。他把許多象徵符號藏在圖畫裡，又引用了波西米亞王朝宮廷畫家阿爾欽博多的作品，因此呈現的不只是城市的外觀，更把城市的歷史文化、人物傳説和他自己的故事都放了進去。如果有一天去布拉格旅行，我一定會把這本書帶在身邊。

《剛達爾溫柔的光》

文：Minami Nanami、日本國際飢餓對策機構
圖：葉祥明｜譯：盧千惠
出版：玉山社／星月書房

這本書的主述者是一位首度參與國際救援的義工，描述他去衣索比亞剛達爾地區分發食物給飢民的經歷。透過樸實的文字和葉祥明簡約的印象派畫風，讀者「看」到了非洲廣闊乾涸的土地、聚集在卡車旁領食物的大人小孩、大片天空展演的沙漠晨昏，以及人性中的軟弱與溫柔、自私與慷慨。

以饑荒、環保、戰爭、種族問題為題的圖畫書，容易陷於說教，即使讀者同意這些是世界遭遇的大問題，需要人類共同面對，但是對於說教總存反感，不容易衷心接納。相較之下，這本書顯得與眾不同，葉祥明並沒有清楚描繪一張臉孔，卻畫出人內在的光，而義工見到那位擁有的很少，還願意分享的伯伯後，心有所感，反身自省的一段文字非常深刻。的確，高貴、仁慈的作為才能彰顯人類心靈的誠實美善，生出感染人的力量。

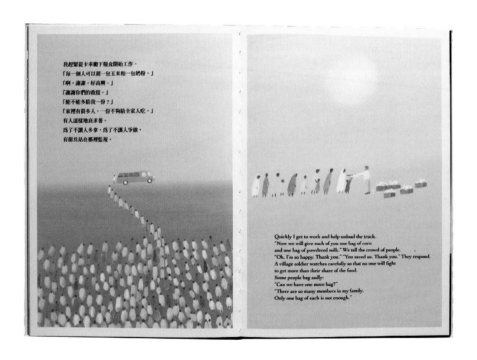

Sylvester and the Magic Pebble
《驢小弟變石頭》

文、圖：William Steig威廉‧史塔克
譯：張劍鳴
出版：上誼文化

威廉‧史塔克兒時喜愛格林童話、卓別林電影、《糖果屋》改編的歌劇和《木偶奇遇記》，他在觀賞中感到強烈的情感衝擊，興奮、恐懼、喜悅交織。長大後，他為家計，極早閱歷人生，把經驗反映在所寫的故事裡，不論主角是《勇敢的小伶》或是驢小弟，都突遭逆境，必須忍受漫長的磨難，史塔克從不會減輕主角內心的煎熬。

愛收集石子的驢小弟因為得到許願石而高興不已，不料卻因此被困，成了無法行動、不能言語的大石頭，而他的父母則經歷了失去兒子的巨大憂傷，看似無解的頹喪因奇蹟而得翻轉，史塔克總在患難之後，安排快樂的結局。他說：「兒童是人類的希望，如果他們將要改變這個世界，那麼，他們必須帶著樂觀的態度出發。我不會考慮為兒童寫悲傷的故事。」

《天國的爸爸》

文、圖：長谷川義史
譯：米雅｜出版：維京國際

《天國的爸爸》以第一人稱孩子的口吻追憶過世的父親，畫風像兒童一般樸拙天真，文字傳達的孺慕之情因此更顯深厚，每每讓我思念起自己的父親。長谷川義史善於使用粗獷的毛筆線條捕捉人物表情、姿態，彷彿是相機攝取的瞬間鏡頭，改由圖畫誇張的表現出來。書裡爸爸的身影異常生動，眼神充滿情感，時而慈愛含蓄，時而得意滿足；長谷川更利用色彩、形狀強化爸爸的個性和情緒，因此不論是生氣、愉快或是幸福的表情都令人留戀回味。他細心安排配角，場景充滿細節，像小津安二郎的電影一般，有獨特的日本家居風味；他並利用物件展現內心世界，例如故事後半的鏡子反映男孩失去爸爸的心情。長谷川下筆雖如兒童瀟灑隨興，實際經過深思熟慮，看似不經意，卻讓人眼濕心熱。

林真美

08

林真美

台灣繪本閱讀推手。為「小大讀書會」之發起人,推廣親子共讀繪本多年,策劃、翻譯海外繪本無數。
目前在大學教授「兒童文學」、「兒童文化」等課程。近年並致力於「兒童權利」之推廣。

相見不恨晚的美麗邂逅

繪本中的兒童特質不僅讓我更加理解小孩，
也喚醒了我，開始學著用孩子的角度和方式，去體驗繪本中
那被成人所遺忘的感覺和看世界的不同眼神。

　　我在1980年代中期，與繪本在日本「不期而遇」。當時我是一名剛上研究所的學生，整天對著於我尚有幾分艱澀的密密麻麻的日文書苦鬥。研究室有一整牆的繪本書架，由於童年在台灣並沒有所謂的繪本，所以有很長一段時間，我對那一長排的書架是「視而不見」的。

　　有一天，在研究室讀「字」讀累了，站起身來活絡活絡筋骨。突然，對那一排長得不像「正規書」的東西感到好奇，於是隨手抽出一本來看。現在回想，那簡直就是我人生中抽到的「樂透」，那讓我當下為之傾倒、掩卷後驚艷無語的，竟是一本威震繪本山林、至今仍被大家奉為「經典中之經典」的上上之作！

　　李歐‧李奧尼 Leo Lionni 的《小藍和小黃》Little Blue and Little Yellow自此開啟了我的「繪本之門」。之後，只要書讀得累了，或是論文寫到腸枯思竭，我一定會來到那排佔據了整個長廊的書架，墜入

繪本書堆，直到流連不歸。

拜研究室精挑細選之賜，在我還不明繪本是何方神聖之時，我已經看遍了一本又一本的古今優質之作。而這段摸索的歷程，也成為我日後朝繪本此一領域發展的根基沃土。不久，當時還是窮學生的我，開始「巧立名目」，每逢生日、寒暑假、開學、士氣低落……，我都會買幾本喜歡的繪本，送給那個對這「相見恨晚」的世界充滿飢渴的心中小孩。

就這樣，我帶著七、八十本繪本回到台灣。之後除了繼續蒐集，也因為擔任幼教老師，而展開了我繪本人生的第二階段。我每天帶著心愛的繪本去唸給孩子們聽，這樣的「臨床經驗」，讓我因著孩子的眼神、笑聲和讀後的一些話語，更加靠近繪本。對我而言，繪本中的兒童特質不僅讓我更加理解小孩，也喚醒了我，開始學著用孩子的角度和方式，去體驗繪本中那被成人所遺忘的感覺和看世界的不同眼神。

隨著教學、推廣「小大」親子共讀、翻譯推介國外繪本和書寫《繪本之眼》（天下雜誌）一書，我和繪本至今已成莫逆。陋室即將被繪本淹沒，但也因為這些繪本的餵養，讓我在不同的人生階段，都能因為不同的繪本，或是同一本被翻了又翻的繪本，找到新的養份和力量。在那極其自由、無拘的國度裡，有的繪本帶我重回混沌之境，每每像是被催了眠那樣，恍惚看到了原始記憶中的吉光片羽；也有許多描寫童稚世界的繪本，一如眼前雙眸清澈澄明的孩童那樣，總是給人帶來活力、鼓舞和趣味。當然，也有許多深刻之作，就像所有的藝術創作那樣，創作者藉由繪本獨特的表現形式，為孩子或心中有孩子的大人談天說地，它們時而訴說生命中的悲喜、時而揭露現實中的黑暗光明，使人在咀嚼玩味中，有了無盡的共鳴和撞擊。

林真美的書房

　　對我而言，那些繪本教我的事，並不下於其他的創作。它那莫忘兒童的眼神，也已經成為我關注世界時的一種態度。雖然，我的童年、青少年時期……錯過了繪本的洗禮，但我依然慶幸能有繪本圍繞的後半人生。這些大小不一的繪本，傳遞著它們可大可小的力度，想想，都是「相見不恨晚的美麗邂逅」啊！／

《約瑟夫的院子》

文、圖：查爾斯·奇賓
譯：林真美 | 出版：遠流

約瑟夫是個孤單的孩子。他家的院子，除了紅磚牆、木柵欄、石板地和一堆破銅爛鐵，就什麼都沒有了。

有一天，他拿破銅爛鐵去換了一株樹苗，開始在了無生意的院子種下了生命。經過日曬雨淋，樹苗長大了，開出一朵美麗的花。但當約瑟夫摘下這朵美麗的花後，花很快就凋萎了。

春雨過後，那棵樹苗又長出葉子，開出花朵，還吸引了許多昆蟲和動物。約瑟夫用外套蓋住花朵，趕走院子的那些訪客，結果那朵花又因為不見天日和雨水，枯萎而死了。

之後，約瑟夫不再去任意干預小樹。沒想到經過了春夏秋冬的自然洗禮，樹越長越好，最後不僅開滿了花，也招來了許多小蟲、小鳥和小貓。約瑟夫的院子，不僅變得美麗，也充滿了生機。

從獨佔到過度保護到放手，約瑟夫和小樹苗的歷程，讓我們看到了愛的三部曲。原來，小小的篇幅，說的是愛的最高境界——自由。

《走進生命花園》

文：提利‧勒南｜圖：奧立維‧塔列克
譯：柯蕾｜出版：米奇巴克

一個未出生的孩子，坐在他的島上，看著這個世界。

他看到了戰爭、饑荒、憂傷、自私、貪婪、污濁的海洋、眼淚……，和人類插在月亮上的旗子。

面對不完美的世界，他想：「應該把槍畫成小鳥棲息的樹枝和牧羊人的笛子」、「應該用繩索抓住雲朵，讓雨水灌溉沙漠，應該挖掘流著水和牛奶的河流」、「應該學習和人分享金錢、麵包、空氣和土地」、「應該把海洋清洗乾淨，然後坐在大海前面，自由的夢想」……。

未來的世界如此不盡人意，但這個孩子在思量過後，還是決定……「出生」。就這樣，故事在一個小嬰兒出生的畫面戛然而止。而這樣結局，實在令人動容。

小孩如何決心來到世上？這個懷抱希望與勇氣的孩子，給了我們最怦然的解答。這固然讓成人感到汗顏，但也讓我們想要學著孩子，用正面的角度，來看待未來。縱使它仍是絕望與希望同在，開朗與悲傷共存，但唯有像孩子那樣，這世界才有變好的可能。

孩子看到了森林。

他想，應該在森林裡盡情地散步、探險，應該寫下那些被遺忘的童話，然後躺在柔軟的草地上，靜靜傾聽。

《總有一天,想回去我的故鄉》

文、圖:大塚敦子 | 譯:游韻馨
出版:天下雜誌

福島海嘯平息之後,讓人更為驚駭的,是核災所帶來的那一場浩劫。

作者大塚敦子藉由一張張照片,讓我們從小貓Kitty的動人身影和來自禁區的畫面,模擬、體驗了當不明的災害降臨時,生靈必須面對家人離散、瀕臨生死的那齣悲劇。

縱使小貓Kitty就像所有存活下來的孩童那樣,並未對自身的遭遇向成人(或人類)提出質疑與控訴,但他們默默的等待救援、默默的聽命於安排,此等素樸之姿,更加令人覺得愧對與動容。

照片中故鄉的風景依舊美麗,但因為看不見的輻射,迫使鄉民流離在外,找不到可以取代故鄉的棲身之所。小貓Kitty的安靜身影,讓我們深深體會這場天災兼人禍不只讓寵物與飼主的生活變得分崩離析,它還揭示了那再也回不去的生活,是你我要去共同承擔的災難。此書雖然沉重,卻讓人想要一讀再讀;想要努力阻止類似的悲劇再度發生。

19

《哈維・史藍芬伯格的聖誕禮物》

文、圖：約翰・伯寧罕
譯：李瑾倫｜出版：和英

聖誕夜送完禮物回家，聖誕老公公發現袋子裡還有一
個禮物，那是要給住在很遠很遠山上的一名小男孩，
他的家很窮，這是他唯一可能得到的聖誕禮物。

即使累壞了，且陪他跑遍各地的馴鹿也睡了，聖誕老
公公還是在寒冷的冬夜，獨自踏上送禮物的旅程。

沒想到，一路滿是波折。不是飛機墜地，就是吉普車撞樹、摩托車打滑車頭
撞歪、滑雪板裂成兩半……。然而，聖誕老公公毫不氣餒，在九死一生中，
爬上懸崖、翻過一顆顆大岩石，終於來到山頂上的那間小屋。

在男孩熟睡中，聖誕老公公把禮物放進男孩的長統襪裡。然後再一路搭著各
種不同的交通工具，最後，拖著疲憊的腳步，在黎明前回到了自己的家。

聖誕老公公鑽進被窩的同時，小男孩醒來，看到了他的禮物。這讓人有一種
既歡快又感動的心情。這樣苦心經營既好笑又溫暖的畫面，透露的正是一位
童書作家對小孩的深情，而那也是所有成人的典範！

上千的猶太人一一進了猶太區，他們被隔離在磚牆之內，再也看不到華沙的街景。

納粹規定每一個猶太人都必須在手臂上別一個藍色的星星標誌。但是，柯札克不惜冒著被逮捕的風險，拒絕佩戴這個充滿歧視的標誌。

《好心的國王：兒童權利之父—柯札克的故事》

文、圖：湯馬克．包格奇│譯：林真美
出版：天下雜誌

柯札克先生是兒童權利的歷史進程中，一位最重要也最值得尊敬的人物。這本書講的是他的生平故事。

他原是一位小兒科醫師，後來有長達30年的時間，經營兩家孤兒院，每天和這群無依的孩子們一起生活。他不僅照顧孩子們的食、衣、住，也教育他們，並落實自己的理念，放手讓孩子們組織「兒童議會」、訂定「兒童法典」，以及開設「兒童法庭」，創造了一個由孩子們作主的小型民主社會。

這樣的進步思想，深深影響了百年來的世代。1989年聯合國頒佈的「兒童權利公約」，其重視兒童自由與主體性的精神，可以說都是來自於柯札克。

在關照兒童的同時，我們每個大人、兒童都有必要認識他。他艱苦的一生充滿了試煉，甚至，在苦難的盡頭，柯札克先生竟是帶著200名孤兒院的院童一起走向死亡之路。

從猶太區到集中營的那列長長的隊伍，瀰漫著肅穆。但也讓讀者對他那美麗、豐富、高貴的靈魂，充滿敬意。

《旅之繪本 --義大利》，青林國際出版，p.18-19

【旅之繪本】，福音館書店／青林國際出版

【旅之繪本】

文、圖：安野光雅｜出版：青林

這是一本無字的繪本。1977年作者安野光雅將場景設定在「惡質文明」尚未入侵的中歐。藉由一名旅人的視線，畫出了從岸邊到草原、山丘、鄉里、市鎮及郊外那一整片沒有污染、不具破壞的美麗世界。

除了自然風景，還有與風景融為一體的百姓生活。跟隨旅人的腳步，我們看到了各式各樣的人，分別在伐木、耕作、買賣、騎車、進行婚禮或喪禮、參加馬拉松大賽、搬家、越獄、沐浴、拍照、參與各種如嘉年華的遊行慶典……等等。隨著翻頁，不同的風景映入眼簾，似乎給觀看的讀者，帶來身歷其境的錯覺。而囊括了生活百態的內容，不禁讓人在闔書之際，輕嘆：啊！這就是人生。

除了在迤邐的風景中滿載著人生的各種可能，作者還悄悄的放進了秀拉、梵谷、米勒等人的名畫景物；另外，也隱藏了我們所熟悉的拔蘿蔔、小紅帽、吹笛人等民間故事。這些圖畫所暗示的「典故」，給了許多「知情」的讀者帶來找尋的樂趣，為整個閱讀大大的提味。

《天亮了,開窗囉!》

文、圖:荒井良二
譯:林真美 | 出版:遠流

這是一本沒有故事的繪本。

作者荒井良二以「重複」的形式,藉由一幕幕在晨光映照下的風景,畫出、道出了不論是住在山間、都市、河邊、海邊、農村……的住民,只要看著窗外的日常風景別來無恙,就能感受到土地帶給人們的安定力量,並對新鮮飽滿的一日之晨,懷抱著幸福與希望。

「天亮了,開窗囉!」看著山還在、車水馬龍、水流潺潺、晴空飄著小雨……,住在不同地方的人,忍不住對著熟悉的景物說:「所以我喜歡這裡。」如此簡單的形式,卻在充滿詩意的圖,和如歌的韻律伴奏下,讓人在凝視聆聽中,漸漸對自己的所在,有了新的肯定,和油然生出的連綿情感。

這是作者在日本311震災之後所創作的一本鼓舞人心的作品。在閱讀之後,每個讀者都有了屬於自己的新的「開始」。在感恩一切如昔之際,也問問遠近的友人:「你家那邊的天氣好嗎?」

啊!美麗的日常,竟是如此感人。

《大提琴與樹》

文、圖：伊勢英子
譯：林真美｜出版：聯經

伊勢英子是繪本繁星中的一顆異數。她以深具文學和藝術質地的文、圖表現，和獨特的文圖合奏，創造了一首又一首的「人與樹的交響詩」。

《大提琴與樹》可說是她這十餘年來的創作集大成。這故事說的是祖孫三代，祖父是個深諳森林與種樹的人，父親是個專門製作大、小提琴的琴師，至於男孩，則在成長過程中，因為承襲了兩代人的生命精隨，遂走上了傳承音樂之路。

從小到大，他既識得了來自森林的各種聲音，也懂得在無言的大樹裡面，隱藏了諸多的生命故事和音符。最後他以教琴為業，繼續傳承著來自三代、來自森林的壯闊詩篇。

這詩篇不僅讓我們讀到時間、看到自然、聽到音樂……，也讓我們親臨了一場「自然與文明」的深刻對話。「有人寫曲，有人將它演奏出來，有人創造演奏它的樂器。」而一棵被截斷的百年老樹，說不定成了一把音色獨具的提琴。就這樣，音樂網羅了這一切。它跨越時間，串起了來自人與樹的永恆生命。

徐永康

徐永康

台灣兒童閱讀學會理事長、毛毛蟲兒童哲學基金會資深講師及作家、台北市立大學幼教系兼任講師、
政治大學教育系偏鄉教育中心博士後研究員。

大人與繪本相遇的故事

親子共讀繪本如同心靈上的冒險，
如手牽著手一同去登山，感受著彼此手心的溫潤，
當我們共同的對著高山讚嘆時，彼此融成一塊……

大約在民國78年時我有個錯誤的想法，苦惱地認定哲學無用論，就算通曉老莊之說或柏拉圖理論，除了成績之外，對我的人生或是整個世界好像不太有改變。當時感覺自己如同身處在時間的黑暗迷宮，找不到一絲亮光方向，同時也喪失挑戰哲學問題的勇氣，直到我滿懷著好奇選了一門課程叫做「兒童哲學」，兒童如何學習哲學呢？我都覺得哲學概念拗口生澀，難以吞嚥，兒童會喜歡嗎？

當我抱持著高度懷疑的心情走進教室，選了一個離老師視線最遠的位置低頭坐下，然而，很快地我就抬頭注視著滿頭捲髮的老師，因為他在上課鐘聲響起後，說了一個故事，我記得故事是這樣的：

從前有一匹牛在吃草，身後來了一隻鹿。鹿對著牛說：「你好，親愛的胖胖鹿，這裡的草好吃嗎？」
「我是牛，不是鹿，你沒看到我頭上的角嗎？」
「我也有，你怎麼會說自己是牛呢？」

鹿說。

「我本就是牛，我會產牛奶，你不會的。」牛說。

「真的嗎？你可能弄錯自己是什麼了，你真的是鹿，不是牛。」

「亂亂說，找一隻動物來說說看，我到底是牛還是鹿」。

遠邊來了一隻羊。

「快來，你說說看，我到底是什麼動物？」牛趕緊找羊過來。

「你是一隻胖胖羊。」羊對著牛說。

「那你說說看，我是什麼呢？」鹿指著自己問羊。

「你是一隻瘦子羊。我們都是羊啊！」羊對著鹿與牛說。

正當大家吵成一團時，來了一匹馬，馬問說：「三匹馬兒，你們吵些什麼呢？」

當時對我來說，可真是顛覆傳統學習哲學方式，從論證的、辯證的、假然的術語轉換了輕鬆的、好懂的、生活的，也是兒童能接受的用語。下課問老師，老師只說：「傳統的學習，著重學科練習，忽略了生活，若要有個有意義的生命，該回頭看看自己的生活信念，就像是蘇格拉底面對死刑時，他可以逃走到別的國家生活，為何最後卻選擇被處死呢？這不是學科能教的，而是一種生命態度，如果你要知道如何讓自己過著有意義的生活，就從好的繪本開始看起吧！就像是先前的故事，像個笑話，卻有個深刻的科學問題，如生物分類，這和我們如何建構知識有關係，而且哲學家該不斷地和兒童對話，反思自己對待兒童的方式，並謙虛地面對兒童的問題。」從那時我就開始投入對繪本研究，經歷了這些年，也比較能體會當時老師的說法：學習時不該只把生活意義與學科訓練分開，只關心理論，而不關心孩童的喜好、感覺。

如今我認為，親子共讀繪本如同心靈上的冒險，如手牽著手一同去登山，感受著彼此手心的溫潤，當我們共同的對著高山讚嘆時，彼此融成一塊，成人在乎兒童，兒童喜愛大人，你的問題就是我的問題，就在彼此好來好去，生活會是多麼美麗。

徐永康的

繪本推薦

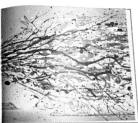

Hubert's Hair-Raising Adventure

文、圖：Bill Peet
出版：HMH Books for Young Readers

當你獲得頭獎上億的樂透彩，你會想要告訴幾個人呢？如果你有難以啟齒的秘密，你會找誰來傾訴呢？若有人説超過五個人，表示你把朋友看得比自己來得重些，這樣並不是好事；若只有兩個，那也表示你的社交能力需要加強。重點是，你有沒有真正的朋友呢？真正的朋友是無利害心、你好就是我好、有著共同的理想與興趣、努力地為對方著想、當你還沒説完笑話，就已經笑到眼淚掉下來的人。

本書主角獅子引以為傲的頭髮被燒光了，其他動物以各種不同的方式想讓獅子的頭髮長出來，只好請大象到沼澤索取鱷魚眼淚，並把眼淚擦在獅子頭上，沒想到長出過多的頭髮，最後找猴子剪頭髮，並剪成方形，大家都很高興。

Art & Max《藝術大搖滾》

文、圖：David Wiesner大衛．威斯納
譯：黃聿君｜出版：格林文化

觀看繪本時需要從兩種觀點去理解，一種是兒童觀點，另一種是成人觀點，畢竟要成人花錢買一本兒童繪本，除了讓兒童喜愛之外，繪本需要有説服成人的能力，如此地説服，並不是強加於讀者接受，相反地，好的繪本尊重大小讀者的內心自由度，不帶有強烈説教的性質。繪本的兩種觀點顯示出親子彼此需要，並良性互動才能增進家庭的總體福祉。本書可説是相當典型兩種觀點取向的繪本，一種是從兒童觀點看，由一位想要學畫畫的學徒，看到畫畫大師之時，乞求大師教畫，在過程中不僅破壞了大師的作品，而且不小心更把大師給消除了，最後再重新建構出來；另一種是成人觀點，重現不同繪畫創作的技巧與風格，並以寬大包容的心，與兒童相處，最後彼此都能轉化過去，創造全新的自我。

In the Night of Kitchen
《廚房之夜狂想曲》

文、圖：Maurice Sendak 莫里斯桑達克
出版：格林文化

當你每天早上起來吃完早餐，開車帶著小孩上學，辦公上網，晚上接小孩，看看電視，關燈睡覺，你是否也想過，是誰受限經濟因素，晚上必須和小孩分開，開始工作，清晨才能回家呢？很少人是為了自己而自願晚上工作，多數都是不得已為了家庭，希望能多賺些錢分

擔家計，如夜班的保全、晚上鋪路的工人，半夜起來準備早餐店的員工等等，因為這些人日夜顛倒的犧牲，才能使得我們有個正常的生活作息。

本書的主角米奇象徵著外來移民，即使住在貧困區域，也想融入當地美國文化，作者隱喻地借用美國影星哈台做為勞苦的象徵，彼此幫助做出讓大家享用的文化融合蛋糕。感謝夜間工作的他們，有他們的犧牲，才有我們安穩的生活。

Voices in the Park
《當乃平遇上乃萍》

文、圖：Anthony Browne安東尼‧布朗
譯：彭倩文｜出版：格林文化

近幾年國小與國中的教師都發現，台灣家庭結構逐漸走向破碎的狀態，成人與小孩都不快樂，社會上層的人重視著自己的名聲，社會底層的人努力的尋找可

賺錢的機會，兩者都忽略了家庭中兒童的需要。

繪本大師安東尼布朗總是把繪本議題圍繞於現代化之後家庭成員的疏離，以超現實手法表現出人的荒謬心情。本書以斷裂的、不同文字的、多重角度的方式來敘說兩個不同家庭的小孩到公園玩所發生的事情，大人關心自己的事；兩個小孩在公園的相遇，他們變成朋友，愉快地玩著，只有小狗，從開始到結束都很高興，本書閱讀後感覺上，狗是最快樂的，小孩次之，大人最不快樂，或許當你不快樂時，換個角度想，想想自己小的時候，減少慾望，快樂自然就來。

Wolves（《大野狼》）

文、圖：Emily Gravette艾蜜莉‧葛拉菲特
譯：柯倩華（中文版已絕版）
出版：Simon & Schuster Books for Young Readers

後現代哲學思維也參入了繪本的發展，有些繪本不再以取悅兒童或讓兒童喜愛繪本作為出版書籍的理由，而是在眾多繪本中，開創出特有的議題與風格，並在閱讀中帶有反諷的意味，試圖提醒大小讀者早已遺忘卻重要的事情，而這也是構成改變社會的力量，如同有人說，相信自己，有改變社會的力量。

書中的兔子，到圖書館借了一本有關大野狼的書，沿路不斷地讀書，清楚地記住了大野狼的基本特質，由於過於專心，而忽略身後就有一隻大野狼跟著，有趣的是，作者採用了反諷的手法，諷刺地說這隻大野狼是吃素的，卻以撕裂的圖像呈現出大野狼與兔子的平和假象，最後卻在兔子家門前的地墊上看到滿地一個星期都未取的信件。我認為本書反諷了知識與生活的脫離，就容易讓生命有危險。

The Lost Thing（《失物招領》）

文、圖：Shaun Tan陳志勇
出版：Lothian Children's Books

過去繪本的藝術價值，除了該有的藝術技藝表現之外，還要繼續追問是否合於兒童閱讀並讓兒童喜愛，然而現在卻有不同的觀點，對於繪本的設計，逐漸地讓兒童知道真實的可怕，如戰爭、貧窮、犯罪與歧視等等的社會議題，在世界各地發生，這些文化之惡，都來自於對他人表現出毫不關心的冷漠。

書中描述著一個收集瓶蓋的小男孩，在海邊發現了一個如巨大機器生物，卻沒有人在意與關心，小男孩帶著他回家，卻被父母責備，他只好幫著他找著讓他能活下去的地方，最後終於找到了。人類的文明來自於彼此合作，合作的條件是能用別人的眼睛來看事情，並且願意相互幫助，尤其面對台灣有著越來越多的移民者，他們也努力地在此生根成家，只要願多一點關心，相信能讓台灣社會更加穩定。

Tadpole's Promise（《蝌蚪的諾言》）

文：Jeanne Willis珍‧威莉絲
圖：Tony Ross湯尼‧羅斯
出版：Andersen Press

當你和家裡的小狗一起外出散步，你拿起手中的一顆球，往前丟去，小狗馬上跑去追球，再跑回來，叼著都是口水的球給你，換個方式看看，如果有一顆球，從你的身後，飛了出去，你大概不會往前跑，而是往後看，想要知道到底是誰在後方丟球。人和動物不同具有高度反思能力，會問我到底是誰？我到底該往哪個方向走？

本書看似戀愛的情節，毛毛蟲與蝌蚪在水面上談起了戀愛，當然這很奇怪，不符合科學知識，但有趣的故事不受限於知識，而是想知道毛毛蟲與蝌蚪之間的愛情會有怎樣的結果，最後卻是個悲劇結束，變成蝴蝶的毛毛蟲飛到水面時，卻被變成青蛙的蝌蚪一口吞下，這讓我回到了希臘神廟的神諭「認識自己。」從反思中得知，自己做不到的事情卻答應了別人，不僅傷害他人也降低了對自己的信任。

蔡淑媖

蔡淑媖

一九九六年擔任臺灣第一批故事媽媽的培訓講師。二〇〇三年和一群故事媽媽創辦
「新樹幼兒圖書館」，經常開課示範說故事方式。現為中華民國兒童文學學會祕書長。

人生中最美好的一件事

初識繪本後，內心的小小孩慢慢被喚醒……
繪本是開啟我幸福的金鑰。

與繪本相遇於1995年，當年我是「新莊袋鼠媽媽讀書會」（註一）的會長，在林苑玲小姐（註二）的牽線下認識林真美老師（註三）。第一次帶著好奇、懵懂的心情聽林真美介紹繪本，聽完，心裡面依然充滿霧氣，頭上則冒著問號。第二次找來一群媽媽一起聽，看著媽媽們臉上的表情，我知道她們心中產生了許多問題，雖然當中有人提出質疑，林真美老師也加以說明，可是，第三次卻少了一大半的人，直到正式進行繪本故事媽媽培訓時，那些人還是沒有出現。

相較於現在很多人對繪本的一見鍾情，當年的我可是花了一段時間實驗證明後才真正愛上它的。那個帶著滿腹狐疑卻大膽斥資委由林真美老師採購一批日文繪本的決定，為自己開啟了一扇窗、搭起了一座橋，讓我走上兒童閱讀推廣的不歸路。

其實要感謝的是孩子們，尤其我的小女兒，當年她是個兩歲多的孩子，我帶著她去讀書會，

陪著我和一群媽媽共讀討論。初識繪本後，我在讀書會內成立「小大共讀班」，親自上場開始念繪本給孩子們聽，念著念著，內心的小小孩慢慢被喚醒；念著念著，原本蒙塵的圖像之眼慢慢清明；念著念著，對繪本興起一股相見恨晚之嘆。我在成長的過程中沒有如此聽故事的經驗，小時候也沒有讀過幼稚園，對「讀書」的概念建立在進入小學前爸爸說的話：「妳欲去讀冊啊，愛認真讀第一名喔！」讀書就是求學，要考第一名，這麼有壓力的事情，哪有樂趣可言？

我相信很多人有和我一樣的經驗，初看繪本時會用「這本書可以教小孩什麼？」來檢視，而不是單純的以欣賞者的姿態來聽故事，所以心中充滿狐疑，於是，我針對此症下藥，用心鑽研說故事的技巧，並記錄孩子聽故事後的反應，結合成繪本入門的課程，開始在「新莊袋鼠媽媽讀書會」推廣親子共讀。印象最深刻的是一群來自蘆洲的媽媽們，每週搭乘兩部計程車前來取經，課程結束後他們在蘆洲積極尋覓場地，最後有一位熱心的媽媽跳出來，在蘆洲開了一家童書店，提供了舒適的場地給大家使用，這家童書店叫做「阿福的書店」（註四）。

眨眼的功夫，兩歲的小女兒長成二十三歲的小姐，超過二十年的時光，我和繪本緊緊相繫，且越繫越緊，排除例行的說故事活動不說，來談談我為研究繪本做過的事吧！

台灣有很多翻譯自國外的繪本，我們使用時發現有些詞句不夠符合孩子聽書的條件——「口語」，於是，我們開始進行「繪本潤飾」，讓念故事的效果更加提升。

繪本適合零到一百歲的大人小孩，我把繪本用來培訓銀髮伴讀志工，推廣用母語說故事的活動。於是，我們開始進行「繪本台語文翻譯」，既保留繪本的原

蔡淑媖於兒童文學學會

汁原味，也展現台語文的優美。

　　隨著繪本種類和使用方式越來越多，我也進行主題繪本的研究分享，初期以作者為主題，接著用內容加以分類，在固定進行的讀書會中大家一起討論，繪本的多元藝術，隨著同好間的分享，此刻更加展現出來。

　　繪本是開啟我幸福的金鑰，這麼多年來，播撒閱讀種子讓我感到生命充滿價值與喜樂，在這裡，我要大聲的說：與繪本相遇是我人生最美好的一件事！

附註：
1.「新莊袋鼠媽媽讀書會」：1992年12月陳來紅女士協助創辦。
2.「林苑玲」：曾任家庭月刊特約記者，大溪車庫小大讀書會負責人。
3.「林真美」：小大讀書會創辦人。
4.「阿福的書店」：位於新北市蘆洲區的獨立書店。

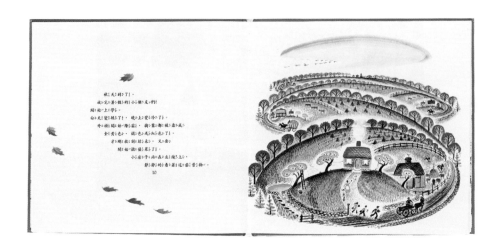

《小房子》

文、圖：維吉尼亞・李・巴頓
譯：林真美｜出版：遠流

當今文明高度發展的社會，環保意識跟著抬頭，一些憂心環境被破壞的人勇敢出來捍衛土地，可是，那些搞破壞的人卻更高竿的結合國家政策，繼續更大的破壞，為了個人利益不顧地球死活。

作者在1942年出版這本書，先知般的預知地球將面臨的災難，以一棟小房子的遭遇，向孩子們傳達環保概念：小房子原本住在鄉下，四季變化鮮明，晚上，可以看月亮、數星星，聆聽各種聲音。後來，這個地方開始發展成大都市，有地下鐵、有高速公路，小房子夾在高樓林立、熙來攘往的人群中，思念著以前的鄉下……

在台灣，都更怪獸的腳下出現好多「小房子」，可惜，這些小房子沒有書中的小房子幸運，最後回到它嚮往的鄉下，這些小房子最後還是挽回不了被拆除的命運，結局令人不勝唏噓！

《失落的一角》

文、圖：謝爾·希爾弗斯坦
譯：鍾文音｜出版：玉山社／星月書房

「缺了一角」尋尋覓覓好不容易找到合適的一角，補上缺口成為一個圓，結果因此不能從從容容的與甲蟲賽跑、聞聞花香、讓蝴蝶停在身上，更糟的是，當他自以為至少還能滿足的唱出「我找到了失落的一角」，為自己的尋覓人生畫下句點時，卻發現自己再也不能唱歌了。

簡單的線條卻傳達不簡單的人生哲學，一書道盡人生樣貌。這本經典之作橫掃台灣，擄獲許多原本不看繪本的大人的心。

對我個人而言，這本書還有一個重要的價值：它是我為書中情節編歌演唱的第一本。說故事者的重要職責是忠於原味的把故事演繹出來，這個故事開頭便說：「他向前滾動，唱著這樣的一首歌……」我為這個故事所編的歌，很多故事媽媽都會唱，還有人搬上劇場演出，這失落的「一角」其實很受歡迎呢！

《和爸爸一起讀書》

文：理察·喬根森｜圖：華倫·漢生
譯：柯倩華｜出版：維京

「我們的照片掛在牆上，當我回想小時候，想起的第一件事就是照片裡的景象。」這是本書的開場，一位兩個孩子的母親在對我們訴說她的故事。畫面是一張爸爸抱著小女孩坐在沙發椅上看書的照片。我曾多次在推廣親子共讀的場合詢問在場的父母：「有拍過這樣的照片嗎？」幾乎每次都得到搖頭的回應。沒關係，親子共讀只要起步就不嫌晚，如果不曉得怎麼進行，那就參考書中的爸爸如法泡製一番吧！首先，建立一個規矩——「說晚安之前一定要讀一本書」，接著，找一個固定的位置，每天念故事給孩子聽。等孩子八歲時，要為她準備一個獨立的空間，讓她做她自己的事。每晚睡覺前，回到固定的位置，讓孩子讀一本書給你聽。

父母身體力行才能帶動孩子養成習慣，想要有喜歡閱讀的孩子，首先要有重視閱讀的家長。我喜歡這本書，它幫助我讓很多人知道親子共讀的溫馨！

《屁股山》

文、圖：曹俊彥｜出版：信誼

本書作者曹俊彥老師是我很景仰的台灣
兒童文學前輩，其人親切幽默，提攜晚
輩不遺餘力，且一點架子都沒有。對於
參與創辦的「中華民國兒童文學學會」
更是盡心盡力，不管會徽、紀念章、文
集封面、會訊插圖……只要有需要，他
都兩肋插刀、義務幫忙，而且多次捐出
畫作義賣，幫助這個學會籌湊經費。

除了熱心公益外，他還透過作品展現鄉
土情懷，讓濃濃的台灣味流瀉在讀者心
中。書中的巨人名叫「西毛」，那座鄉
民堆起來的山叫做「西毛山」，其實就
是「紗帽山」的諧音，雖然官方說那座
山像頂「紗帽」，可是，在孩子們的眼
中，它更像巨人的大屁股，於是，曹俊
彥杜撰了這個故事，讓歷史與自然景觀
巧妙結合在一起。

這是個感人的故事，書中的圖像細膩描
繪台灣早期的生活樣貌，純樸溫暖的色
系，感覺好溫馨！

《乘光飛翔──愛因斯坦的故事》

文：珍妮弗・伯恩
圖：佛拉基米爾・瑞當斯基
譯：邢小萍｜出版：小魯文化

孔子說：「學而不思則罔。」愛因斯坦要人們：「不要停止問問題。」都是希望大家擁有好奇心、多思考。可是，我常常遇到不願意動腦筋思考的孩子，他們很喜歡說：「不知道。」或「忘記了。」我喜歡拿這本書和孩子們討論，希望用愛因斯坦的故事來喚醒他們沉睡的腦袋。

我也喜歡念這本書給大人聽，讓他們看看愛因斯坦的父母如何面對一個「特別」到令人擔心的孩子：三歲還不會講話、九歲還結結巴巴，個性耿直、動作緩慢，人緣不佳、被老師視為頭痛學生……。父母親的接納與協助是愛因斯坦得以成功的主因，教養需要智慧，唯有不斷學習與反省，教養的智慧才會增加。

我們的孩子未必能成為愛因斯坦，但是，我們需要擁有接納孩子缺點的態度和協助孩子成長的本事，給孩子一道光去自在飛翔！

《驢子圖書館》

文、圖：貞娜・溫特｜譯：馬筱鳳
出版：小典藏

閱讀是一件美好的事，這樣的美好，好希望每個人都能享受到。帶著這樣的心情，我把推廣閱讀當成終生志業，從成立讀書會到創辦圖書館，整天忙得團團轉卻樂在其中。

這本書的主角和我一樣是個愛讀書的人，為了解決日益堆滿屋子的書，他興起了把書載去給偏遠地區孩子看的念頭，他買了兩頭驢子馱著書，跋山涉水、翻山越嶺，中途遇到河流阻擋、遇到強盜攔截，但是他沒有退縮，一心只想著「孩子們正在等著呢！」堅持到底，完成使命。

在推廣閱讀的道路上，當我感到疲累時，只要想到「孩子們」，我的精神就會恢復，挺起腰桿繼續前進。孩子不斷在長大，怎麼能讓他們等呢？「孩子們」給了我不同的人生，能夠用這樣的方式回饋社會、幫助孩子們，我感到很幸福！

國家圖書館出版品預行編目（CIP）資料

大人也喜歡的繪本1/ 魏淑貞，賴嘉綾企劃. -- 初版. -- 臺北
市：玉山社, 2015.10
冊；公分. -- (星月書房；57-58)
ISBN 978-986-294-115-7（第1冊：平裝)--
ISBN 978-986-294-116-4（第2冊：平裝)--
ISBN 978-986-294-117-1（全套：平裝)

1. 繪本 2. 兒童文學 3. 讀物研究
815.9   104019763

星月書房57

大人也喜歡的繪本1

企劃	魏淑貞、賴嘉綾
發行人	魏淑貞
出版者	玉山社出版事業股份有限公司
地址	台北市仁愛路四段145 號3 樓之2
電話	（02）27753736
傳真	（02）27753776
電子信箱	tipi395@ms19.hinet.net
玉山社網址	http://www.tipi.com.tw
郵撥	18599799 玉山社出版事業股份有限公司
特約主編	郭恩惠
美術設計	林秦華
攝影	林茂榮、吳易蓁
業務行銷	陳鈞毅
法律顧問	魏千峰律師
印刷	中原造像股份有限公司
初版一刷	2015 年10 月
定價	兩冊合售　新台幣 580 元

◎行政院新聞局局版北市業字第14 號◎